6,958

ASTROLOGIE DES ENFANTS

ASTROLOGIE DES ENFANTS

Louise Haley

lazer / Haley

Louise Haley publie chaque année, chez Québécor, ses prévisions annuelles.

Je dédie ce livre à mon fils Hans ainsi qu'à tous les enfants de l'univers.

Louise Haley

Astrologie des enfants
© Louise Haley pour les éditions Haley, Ottawa 1986
Tous droits de reproduction réservés
Dépôt légal: 4ᵉ trimestre 1986
Bibliothèque Nationale du Québec

ISBN: 2-920878-01-8

Imprimé au Canada/Printed in Canada
LAZER est une collection de 2439-0700 Québec inc.
Haley
(514) 288-5746

PR11,860 X

Tout ce qui touche l'enfance est redevable à la Lune et au signe du Cancer en ce qui touche la gestation et la conception et au signe du Lion, en ce qui touche la dignité de l'acte de donner la vie et d'élever la vie jusqu'à un stade adulte.

Le don de la vie et ce qui touche donner la vie a été jusqu'ici une chose immuable, intangible et gratuite. Le hasard décidait pour les gens et malgré les guerres, les difficultés et les famines ce don était toujours présent. Malgré toutes les difficultés on continuait d'avoir des enfants. Maintenant nous sommes rendus à un niveau de conscience où cela n'est plus possible. La vie ne peut plus être le fruit du hasard, elle devient le consentement conscientisé d'un acte très grand.

Présentement dans le monde plusieurs personnes sont conscientisées et réalisent que l'enfance n'a pas eu sa place dans tout ce qui existe. On savait que les enfants existaient, ainsi que les femmes mais jamais au premier plan des préoccupations sociales et humanitaires. C'était comme si la question de l'enfance relevait des femmes puisque les hommes avaient mille et autres choses à faire. Nous n'avons jamais eu dans le passé à nous poser tant de questions sur ce sujet. Dans le passé, on pouvait faire des guerres sans trop s'alarmer des conséquences puisque de toute façon des naissances suivraient. Maintenant il ne peut plus en être ainsi, il est impossible moralement de continuer de donner la vie si c'est pour la conduire à une destruction. À venir jusqu'ici, la vie, les enfants et les femmes qui la donnent n'ont pas été tellement respectées. N'importe quel exploit sportif qui soulève des foules et n'importe quel guerrier qui obtient sa gloire en tuant d'autres gens pendant la guerre sont plus respectés qu'une femme qui donne la vie. Est-ce parce que donner la vie est gratuit? Est-ce parce que les femmes n'avaient que cela à faire, du moins c'est ce que pensent ceux qui dirigent. Toujours est-il que toujours cela a été considéré avec peu de considération. Le fait qu'un homme n'avait pas à s'impliquer autant qu'une femme dans l'éducation des enfants a créé des troubles émotionnels graves dans l'existence des enfants une fois rendus adultes. Ils s'imaginent n'être pas dignes de l'amour de leur père et ils arrivent inconsciemment à mépriser ceux qui les ont élevés, surtout si c'est des femmes et ainsi, ceux qui les aiment. Leurs agissements provoquent la colère et souvent, des ruptures affectives. Se sentant indignes d'être aimés par leur père qui représentait l'ordre social et l'autorité, ils se mettent toujours en situation d'échec dans différents secteurs de leur vie. Ils arrivent aussi à demander l'impossible aux femmes qui les aiment car ils ne permettent pas à une femme d'être autre chose qu'une mère, puisqu'ils n'ont jamais vu la leur heureuse avec quelqu'un. Si l'image du père est manquante, ils s'imagineront toute leur vie que ce qui est absent est plus valable que ce qui est présent.

Au moment où nous sommes présentement, avec les famines, les guerres, les dévastations, la question des enfants sera celle qui sera la plus discutée sur toute la terre d'ici l'an 2000. Nous entendrons parler de cela avec une vigueur et une conscience que l'humanité n'a jamais atteinte. La vie humaine deviendra importante pour tout le monde ou alors elle ne le sera pour personne, ce qui veut dire qu'elle cessera sa continuité. Ce qui est incroyable c'est que tout le monde parle de l'importance des soins et de l'amour reçu pendant la petite enfance, mais que personne au niveau direction des pays n'accorde vraiment d'importance à ceux qui s'occupent de l'enfance. Que ce soit au niveau budgétaire, besoins sociaux, ces besoins passent toujours au dernier rang, alors que ceux qui détruisent la vie (la guerre) ont toujours un budget considérable. Les êtres qui ont le plus souffert de cela, à venir jusqu'ici, sont les femmes. Elles ont déjà commencé à parler et elles parleront encore de plus en plus.

Tout ce qui entoure la maternité a à être revu, repensé et discuté.

Dans l'univers du zodiaque, *le Bélier* représente l'éveil de la personnalité, représente aussi la capacité de s'imposer.

Le Taureau représente la capacité d'aller chercher ce qui est nécessaire à la survie.

Le Gémeaux apporte la parole et la capacité de se faire comprendre.

Le Cancer représente le foyer et la protection nécessaire pour se sécuriser.

Le Lion apporte la capacité de briller et de se tailler une place dans l'existence.

La Vierge représente tous les petits soins humbles mais nécessaires à la santé.

La Balance représente la capacité d'entrer dans le domaine affectif en contact avec les autres. C'est aussi la partie esthétique qu'on accorde à sa personne.

Le Scorpion apporte le besoin d'intensité et d'éternité dans tout ce qui est vécu. Même petits, les enfants ressentent ce besoin.

Le Sagittaire apporte la capacité de comprendre qu'il y a des enfants dans le monde entier et aussi donne le goût de connaître leur existence et le besoin de voyager.

Le Capricorne donne un grand besoin de s'identifier à quelque chose de grand et qui aide à se surpasser. L'aspect Capricorne apporte parfois beaucoup de maturité, même dans l'enfance.

Le Verseau donne le besoin d'avoir des amitiés en dehors de toute classe sociale et aussi de manifester son originalité et sa personnalité.

Le Poissons représente la capacité qu'ont souvent les enfants de tout comprendre, même s'ils ne peuvent pas l'exprimer. C'est aussi l'univers tragique et secret des enfants maltraités.

Nous parlerons de plus en plus de ces choses-là et nous accorderons une grande importance à ce problème dans les années à venir.

Bélier

Le signe du Bélier étant dominé par le Soleil et Mars, l'enfant et l'adolescent Bélier sont des êtres pour qui la rapidité et la franchise sont des valeurs primordiales. Cependant, un enfant peut être né sous le signe du Bélier sans avoir nécessairement le Soleil et Mars comme dominantes planétaires. Nous verrons cela au chapitre des dominantes. Mais dans l'universel, le Bélier est dominé par la planète Mars et le Soleil.

Son émotivité (qui est-il?)

Superactif. Tout se passe rapidement. Absence de calcul, besoin émotif de comprendre l'univers par ses propres sensations, qui sont d'une variété infinie. Système nerveux hypersensible.

Ses besoins matériels

Peu nombreux. La vie lui suffit, et l'apprentissage de l'existence, même dans les conditions matérielles les plus difficiles, est son grand bonheur.

Ce qui l'encourage sur le plan intellectuel

La vitesse. Il se dit que la vie est courte et qu'on a peu de temps pour tout apprendre.

Ce qui le décourage sur le plan intellectuel

Les éternels recommencements. Les répétitions. Les choses qu'on sait qu'il faut revoir.

Que faire s'il est surdoué?

Le pousser le plus vite possible vers la création ou vers une réelle relation avec les autres. Sinon, il devient très vite tapageur et peut passer pour un enfant difficile alors qu'il ne s'agit que de débordements d'activité.

Que faire s'il est sous-doué?

Tirer le meilleur dans les domaines les plus divers. Importance de la couleur, de tout ce qui se voit. Surtout lui faire confiance.

De quoi dépend son épanouissement?

De la franchise dans laquelle on l'éduque.

Quand sombre-t-il dans l'angoisse?

Quand il sent du mensonge ou encore voit les adultes qui l'entourent changer d'opinion selon les circonstances.

Sa vision de l'amitié

Il dit qu'il aimera toujours les gens qu'il a choisis, sans calcul, en prenant parti de leurs défauts et ne voyant que leurs qualités.

Sa vision de la souffrance

Ne veut pas y croire ou s'imagine que cela ne durera pas.

Le rôle des parents face à son éducation sexuelle

Tout est facile à condition de ne pas y mettre de faux sentiments et de prouver, par l'exemple, ce qu'il y a à vivre au niveau émotif.

Ce qu'il attend de sa mère

Une affection non castratrice.

Ce qu'il attend de son père

Une admiration sans borne.

Son attitude face à ses frères et soeurs

Il les aime mais se dit qu'il pourra les entraîner partout et en tout.

Comment le traiter s'il est enfant unique

Lui faire comprendre que l'univers ne se limite pas à lui. Dompter sa capacité de faire du bruit et de s'imposer partout de façon trop ostentatoire. Cependant, lui faire prendre des responsabilités très jeune; cela endigue sa force de caractère exceptionnelle.

Si ses parents se séparent

Il veut de la franchise. Il ne demande aucune explication, mais si on lui en donne, elle doit être précise et complète.

Sa perception de l'autorité

Veut la contourner.

Apprentissage de la liberté

Bon et rapide s'il a des parents qui ne le surprotègent pas.

Passage de l'enfance à l'adolescence Rapide. Il ne supporte pas d'être surprotégé.

Bélier ascendant Bélier

A besoin d'une grande chambre où il peut jaser, où il peut manoeuvrer. Aime toucher les objets et se plaît dans un certain désordre. N'aime pas planifier à l'avance.

Bélier ascendant Taureau

Grande importance des biens matériels. Peut se replier sur lui-même s'il se sent dévalorisé à ce niveau. Besoin de s'entendre dire souvent qu'on l'aime.

Bélier ascendant Gémeaux

Aime l'univers. Se dit que tout lui est dû, que tout lui sera possible. Ne supporte aucune irritation.

Bélier ascendant Cancer

Grande sensibilité axée sur son rapport avec sa mère et sur la forme d'autorité du père.

Bélier ascendant Lion

Roi de son petit royaume. Sensibilité extrême pour son petit moi. Capacité d'adoration et de dévotion envers ceux qu'il aime, mais ne tolère d'aucune façon un manque de dignité de leur part.

Bélier ascendant Vierge

Obsession de la privation. Souvent, incapacité d'exprimer ses sentiments autrement que par des colères ou des revirements brusques. Sentiment omniprésent de l'importance qu'on lui accorde.

Bélier ascendant Balance

Charme allié à une grande activité. Peut facilement dominer son entourage. Arrive toujours à ses fins.

Bélier ascendant Scorpion

Tempérament intempestif. Ne tolère d'aucune façon qu'on n'aime pas ce qu'il aime, et veut toujours que les vibrations de son entourage soient en harmonie avec lui et avec la vie.

Bélier ascendant Sagittaire

Très grand besoin d'idéal. Est capable d'imaginer qu'il est le sauveur de l'humanité ou du moins de se voir à la tête d'une entreprise incroyablement fantastique. Ne supporte pas la médiocrité des gens.

Bélier ascendant Capricorne

Très têtu. Ne tolère pas qu'on lui dise non. N'accepte l'autorité que si elle est justifiable. Voit grand et se veut déjà adulte.

Bélier ascendant Verseau

Vibre à tout. Déborde d'enthousiasme. Voit les choses d'une façon extraordinairement vive.

Bélier ascendant Poissons

Grande période de doute émotif. Ressent fortement les souffrances des autres et est très malheureux de ne pas pouvoir y remédier matériellement.

Difficultés physiques Les colères qu'il fait peuvent amener des hausses de tension; fréquents maux de tête, dentition délicate.

Difficultés psychologiques Besoin de dominer son entourage, ne tolère d'aucune façon de ne pas avoir le dernier mot.

Taureau

Le Taureau étant un signe dominé dans l'universel par Vénus et la Lune, le rapport affectif de l'enfant ou de l'adolescent Taureau avec son foyer et sa mère est à la base de la sécurité essentielle à son épanouissement. Cependant, un enfant peut être né sous le signe du Taureau sans avoir nécessairement comme dominantes planétaires Vénus et la Lune. Nous verrons cela au chapitre des dominantes.

Son émotivité (qui est-il?)

Tout, dans sa vie affective, est axé sur le besoin de sécurité. Celle-ci est le premier et l'ultime élément nécessaire à son développement en tant qu'enfant.

Ses besoins matériels

Ils sont très importants. Sa chambre est un royaume où il aime passer beaucoup de temps et il ne supporte pas la pauvreté matérielle et morale. S'il a une enfance pauvre, il se dit que plus tard il vivra mieux, et s'il a une enfance démunie au niveau moral, il s'assure que dans l'avenir il obtiendra une grande richesse au niveau émotif. Du moins, il a besoin de s'en assurer pour se développer normalement.

Ce qui l'encourage sur le plan intellectuel

La logique des choses et du comportement des gens qui l'entourent.

Ce qui le décourage sur le plan intellectuel

Le désordre sous toutes ses formes.

Que faire s'il est surdoué?

L'orienter très tôt vers des réalisations concrètes. Il a besoin de voir se matérialiser ce que son cerveau peut concevoir.

Que faire s'il est sous-doué?

Développer au maximum ses capacités manuelles. On peut ainsi faciliter grandement son développement affectif.

De quoi dépend son épanouissement?

De la sécurité avant tout: matérielle et émotionnelle.

Quand sombre-t-il dans l'angoisse?

Quand trop d'événements brusques se produisent dans sa vie.

Sa vision de l'amitié

Elle est concrète. Il aide, il donne, il ne se gargarise pas mentalement de grandes théories. Ce qu'il a à aimer, il l'aime d'une façon spontanée.

Sa vision de la souffrance

Il a très peur de la souffrance physique, surtout de la faim; il ne veut pas savoir que cela existe.

Le rôle des parents face à son éducation sexuelle

Tout est sérieux. L'enfant Taureau voit ces choses d'une façon très sérieuse et ne tolère d'aucune façon que cela ne soit pas compris ainsi par ceux qu'il aime.

Ce qu'il attend de sa mère
De la bonté. La bonté est pour lui l'essentiel et tout le reste est accessoire.

Ce qu'il attend de son père
Une solidarité matérielle et morale.

Son attitude face à ses frères et soeurs
Il ressent beaucoup les problèmes concrets et peut être écrasé moralement par eux.

Comment le traiter s'il est enfant unique
Ne pas trop le gâter matériellement.

Si ses parents se séparent
Il a besoin que sa sécurité matérielle ne soit jamais mise en jeu et que son affectivité puisse s'épanouir.

Sa perception de l'autorité
Aucun problème, à condition que ceux qui ont autorité sur lui ne posent jamais de gestes qu'il considère comme irréalistes. Il ne tolère d'aucune façon qu'on lui demande ce que les autres ne veulent pas se demander à eux-mêmes.

Apprentissage de la liberté
Cet apprentissage est très lent. Les choses sont axées sur l'affectivité, mais d'une façon tout intérieure.

Passage de l'enfance à l'adolescence
Ce passage se fait sans douleur, sauf s'il y a un manque de sécurité matériel ou affectif. Alors, le Taureau peut se confiner longtemps dans l'enfance en demandant aux autres de lui donner ce qu'il n'a pas eu.

Taureau ascendant Bélier
Devant l'importance des biens matériels, possibilité que la nourriture joue un rôle de première place dans son évolution. Besoin de sentir que ce qui lui appartient est à lui et qu'on ne le lui enlèvera jamais.

Taureau ascendant Taureau
Importance primordiale de la maison, du lieu, des souvenirs et de tout ce qui est vécu et sera encore vécu. Ne tolère d'aucune façon l'imprévu à ce niveau.

Taureau ascendant Gémeaux
Possibilité de passer par des phases de détachement et des phases d'attachement aux choses extérieures. Ne tolère d'aucune façon que les êtres qu'il aime vivent dans l'humiliation; cela l'affecte mentalement.

Taureau ascendant Cancer
Besoin de sa mère. Besoin d'un climat affectif. Sensibilité extrême. Vibre énormément à tout ce qui touche son rapport avec sa mère.

Taureau ascendant Lion
Très têtu. Sait très tôt ce qu'il a à faire dans l'existence. Veut

11

être chef dans ce qu'il entreprend. Besoin de briller et de parler.

Taureau ascendant Vierge

Sait ce qu'il veut. Demande beaucoup à ceux qui l'entourent. Ne tolère d'aucune façon les manques à quelque niveau que ce soit.

Taureau ascendant Balance

Grand besoin de vie esthétique et d'amour autour de lui. Aime énormément la musique. Se sent heureux dans une atmosphère de nuances et d'intelligence.

Taureau ascendant Scorpion

Caractère très fort. Demande sa part d'amour d'une façon intempestive. Ne tolère pas la faiblesse chez aucun des parents et veut que ceux qu'il aime, le possèdent, et, à son tour, veut les posséder. Tout est axé sur une relation affective passionnelle.

Taureau ascendant Sagittaire

Veut réussir à tout prix à s'imposer au-delà du cercle familial. Voit l'univers entier comme sa famille. Ne tolère d'aucune façon qu'on le limite en quoi que ce soit. Très intransigeant dans les rapports matériels.

Taureau ascendant Capricorne

Très têtu. Ne tolère d'aucune façon qu'on se mêle de ses affaires. Ne veut pas avoir à partager quoi que ce soit au niveau de la parole. Vit intérieurement ce qu'il a à vivre de façon définitive.

Taureau ascendant Verseau

Grande importance du rapport avec le père, car de ce rapport dépendra l'ascension morale ou la révolte continuelle face à l'existence.

Taureau ascendant Poissons

Aime la musique. Aime les choses douces. Ne tolère aucune forme de brutalité.

Difficultés physiques: Gorge, sinus et système digestif fragiles.
Difficultés psychologiques: Tout ce qui se rapporte à l'instinct de protection. Peur de ne pas être aimé assez et de perdre ce qu'il possède.

Gémeaux

Le signe des Gémeaux étant dominé par Mercure, c'est le lieu privilégié de la découverte, de l'intelligence active et aussi du mouvement perpétuel. Tous les enfants nés sous le signe des Gémeaux ne sont pas nécessairement dominés par la planète Mercure, mais dans l'universel, le signe des Gémeaux est dominé par cette planète.

Son émotivité (qui est-il?)

Il est la rapidité même. Les émotions se succèdent. Il ne tolère d'aucune façon l'emprise de qui que ce soit sur sa vie émotionnelle, car celle-ci est très liée à sa vie mentale. Enfant très intéressant pour des parents jeunes, mais très épuisant pour des parents âgés.

Ses besoins matériels

Il en a peu. Sa vie mentale supplée au manque d'argent ou au manque de jouets.

Ce qui l'encourage sur le plan intellectuel

Plusieurs choses, plusieurs intérêts, des amis variés. Il a horreur de ce qui est routinier.

Ce qui le décourage sur le plan intellectuel

La monotonie.

Que faire s'il est surdoué?

L'envoyer très jeune dans une école spécialisée, sinon il perdra son temps et en fera perdre aux autres.

Que faire s'il est sous-doué?

Le faire travailler de ses mains et axer beaucoup le développement de son intelligence sur un plan concret.

De quoi dépend son épanouissement?

Du milieu intellectuel dans lequel il vit. Pour un enfant Gémeaux, tout est là.

Quand sombre-t-il dans l'angoisse?

Quand la platitude ternit ses journées.

Sa vision de l'amitié

Variée. Il se dit qu'il peut aimer les gens de toutes les nationalités et de toutes les conditions.

Sa vision de la souffrance

Il a de la difficulté à accepter qu'on ne puisse régler certaines choses seulement par l'intelligence.

Le rôle des parents face à son éducation sexuelle

Il a besoin que cette éducation se fasse ouvertement mais qu'on ne lui mente jamais sur les sentiments.

Ce qu'il attend de sa mère

Un rapport intelligent avant tout.

Ce qu'il attend de son père

Que son père ne le limite pas et ne lui impose pas trop vite les règles du monde adulte.

Son attitude face à ses frères et soeurs

Il les aime spontanément. Il aime l'univers familial. Il est capable de le multiplier à l'infini dans sa tête.

Comment le traiter s'il est enfant unique

Le placer dans une école où se trouvent des enfants de différents milieux. Il a besoin de briser le cercle familial.

Si ses parents se séparent

Il est impossible pour lui de faire un choix. Il veut continuer de les aimer tous les deux.

Sa perception de l'autorité

Il n'y croit d'aucune façon, à moins qu'elle ne soit très intelligente.

Apprentissage de la liberté

Cet apprentissage se fait très rapidement, surtout si l'enfant a affaire à des parents intelligents. Les choses vont très vite et très bien.

Passage de l'enfance à l'adolescence

Est fonction de la qualité des relations au foyer. Si celles-ci sont mauvaises, il s'ensuit une forme de parasitisme moral et intellectuel.

Gémeaux ascendant Bélier

Très intelligent. Capable d'évolution mentale rapide. Intéressant à élever mais difficile à saisir au niveau du comportement émotionnel.

Gémeaux ascendant Taureau

Veut s'assurer l'affection des siens pour pouvoir partir et faire le tour du monde sans jamais perdre la sécurité du foyer. Vie intellectuelle axée sur l'intelligence du moment présent.

Gémeaux ascendant Gémeaux

Premier de classe, superbement intelligent. Capable de vivre plusieurs choses en même temps. S'intéresse à tout et a constamment besoin de s'exprimer.

Gémeaux ascendant Cancer

Peut avoir souvent l'impression d'être laissé pour compte, surtout vis-à-vis de ceux qui brillent dans un sport ou vis-à-vis de quelque chose où la force physique intervient. Grand besoin de sécurité dans sa relation avec sa mère.

Gémeaux ascendant Lion

Il veut briller et séduire son entourage par sa parole, son agilité mentale et sa capacité de passer très vite d'un état émotif à un autre. Petites frivolités.

Gémeaux ascendant Vierge

A besoin de briller mentalement et surtout de ne pas s'en laisser imposer au niveau intellectuel par le monde adulte. Est capable de défier n'importe qui sur ce qu'il croit ou ce qu'il pense.

Gémeaux ascendant Balance

C'est un enfant facile à élever en autant qu'on ne le surprotège pas, qu'on l'amène en voyage et qu'on lui montre différentes facettes de la vie. Est capable de tout et se comporte très bien en toutes circonstances.

Gémeaux ascendant Scorpion

Éducation sexuelle de première importance. Vie mentale axée sur des questions d'immortalité, d'éternité et de spiritualité. Intelligence tournée essentiellement vers ce qui n'est pas tangible.

Gémeaux ascendant Sagittaire

Aime les voyages. Aime tout ce qui suscite un intérêt mental et ne supporte d'aucune façon la monotonie.

Gémeaux ascendant Capricorne

A le charme de la jeunesse allié au sérieux de la maturité. Peut aller très loin dans son amour des autres. Très dévoué.

Gémeaux ascendant Verseau

C'est l'enfant supernerveux qui ne tient pas en place. Il est toujours à la recherche de l'inédit et il ne cesse d'inventer. Cela est très difficile pour les nerfs des parents, mais en même temps très intéressant au niveau éducationnel.

Gémeaux ascendant Poissons

A beaucoup de mal à comprendre la souffrance et les difficultés de cette vie. Peut s'en évader dans une forme d'inconscience ou alors être trop conscient de ce qui est difficile et se sentir écrasé. A beaucoup besoin d'être valorisé.

Difficultés physiques: Tout ce qui touche les bronches, le système nerveux. Éviter l'agitation.

Difficultés psychologiques: A besoin de prouver qu'il est le meilleur intellectuellement, veut surpasser les autres à tout prix. Ne tolère d'aucune façon la froideur.

Cancer

Le signe du Cancer étant dominé par la Lune, l'enfance est de première importance pour les gens nés sous ce signe. Cependant, ces gens ne sont pas nécessairement tous de dominante lunaire. Les principales caractéristiques du signe du Cancer sont l'émotivité, l'impressionnabilité, le sens du souvenir et aussi la peur des réalités trop concrètes de l'existence.

Son émotivité (qui est-il?)

Il est très impressionnable. Tout ce qui concerne sa mère, son foyer et surtout sa vie morale dans son développement le touche profondément.

Ses besoins matériels

Ils gravitent essentiellement autour de la personnalité de sa mère. Il en résulte des situations de très grandes exigences mais qui peuvent aussi susciter des attitudes extraordinaires.

Ce qui l'encourage sur le plan intellectuel

L'amour, uniquement.

Ce qui le décourage sur le plan intellectuel

Être mêlé à n'importe quoi et à n'importe qui. Il a besoin d'une hiérarchie morale très stricte, du moins intérieurement.

Que faire s'il est surdoué?

Développer au maximum ses penchants humanitaires et surtout ne pas le surprotéger et en faire un demi-dieu, car cela se paierait très cher plus tard.

Que faire s'il est sous-doué?

L'aimer énormément et ne jamais impliquer l'entourage dans son problème, ni l'impliquer, lui, face à l'entourage.

De quoi dépend son épanouissement?

Uniquement de l'affection.

Quand sombre-t-il dans l'angoisse?

Quand on le compare aux autres.

Sa vision de l'amitié

Il la voit éternelle. Ne comprend pas que les sentiments puissent s'éteindre.

Sa vision de la souffrance

La fuite immédiate.

Le rôle des parents face à son éducation sexuelle

Tout doit être basé sur l'amour et le sens des responsabilités.

Ce qu'il attend de sa mère

Tout.

Ce qu'il attend de son père

Avant tout, qu'il aime sa mère. C'est indispensable pour un développement psychique harmonieux.

Son attitude face à ses frères et soeurs

Une grande demande d'amour et un grand besoin de leur en donner. Si cela n'est pas compris, il peut développer plus tard, à l'âge adulte, une attitude bohème qui l'amènera à aimer n'importe quoi et n'importe qui.

Comment le traiter s'il est enfant unique

Surtout, ne pas le surprotéger. Lui faire voir l'univers d'une façon autonome.

Si ses parents se séparent

Pour lui, c'est un choc. Être séparé de sa mère est une chose qui a des conséquences infinies.

Sa perception de l'autorité

Il ne la voit qu'affectivement. Refusant de l'affronter directement, il la fuit.

Apprentissage de la liberté

Cet apprentissage est très difficile pour lui car il a peur de couper les liens avec ses parents.

Passage de l'enfance à l'adolescence

Très difficile, car il a peur de perdre ses prérogatives enfantines; il vit ce passage avec une grande angoisse car il le voit comme une mort morale.

Cancer ascendant Bélier

Enfant très intéressant. Vie émotionnelle intense, mais trop grande impressionnabilité face aux parents.

Cancer ascendant Taureau

C'est l'enfant qui jouit de tout, qui trouve que tout est beau. Facile à élever, à condition qu'on l'aime énormément. Risque de se faire surprotéger.

Cancer ascendant Cancer

C'est l'enfant rêvé. Très facile à éduquer. Il aime énormément et sait le manifester. Ne se heurte jamais à rien, sinon à une relation trop exclusive avec sa mère.

Cancer ascendant Lion

Possibilité soit de dominer son entourage, soit d'être totalement dominé par lui. Cependant, grande compréhension de la nature profonde des êtres. Intelligence et simplicité du coeur.

Cancer ascendant Vierge

Peut être très méticuleux. Peut aussi demander l'impossible à ceux qui l'entourent. Se fait souvent souffrir inutilement.

Cancer ascendant Balance

C'est un enfant charmeur. Facile à élever, capable de tout comprendre et aussi de céder facilement la place en tout. Veut la paix à tout prix.

Cancer ascendant Scorpion

Très haute intelligence des choses essentielles de la vie. Ne supporte jamais qu'on le traite en enfant. Connaît très vite, surtout s'il y a une mort dans l'entourage, la relation entre le visible et l'invisible.

Cancer ascendant Sagittaire

Possibilité immense de développement matériel, de générosité, d'épanouissement sur tous les plans. Intelligence du moment présent.

Cancer ascendant Capricorne

Peut passer par des phases de mélancolie ou de grande joie mais n'est jamais exubérant. Donne beaucoup de lui-même et ressent très vivement les imperfections du monde adulte.

Cancer ascendant Verseau

Est très altruiste. Voudrait que son foyer soit universel. Peut demander beaucoup à ses parents au niveau de l'acceptation des êtres et des choses inédites.

Cancer ascendant Poissons

C'est un hypersensible. Ressent les moindres maux et les moindres malheurs des autres. Crée un univers dans lequel la mélancolie a toujours sa place. Aime les choses en demi-teintes.

Difficultés physiques: Estomac fragile dont les troubles sont à l'origine de bien des maux. L'ossature peut présenter des problèmes.

Difficultés psychologiques: Tendance à la timidité. Complexe d'Oedipe très puissant. Peur des responsabilités futures s'il est surprotégé.

Lion

Le Lion est dominé par le Soleil et Neptune, ce qui confère à l'enfant et à l'adolescent Lion un magnétisme et une vie spirituelle portée vers les biens matériels mais en les dépassant, ou alors purement spirituelle dans la dignité et la contemplation de son moi face à l'univers. Tous les enfants Lion ne sont pas nécessairement dominés par le Soleil et Neptune et nous verrons cela au chapitre des dominantes. Mais, dans l'universel, le signe du Lion est dominé par le Soleil et Neptune.

Son émotivité (qui est-il?)

C'est le roi de la famille. L'enfant Lion domine facilement son entourage par son charme, son intelligence et sa capacité d'obtenir sans difficulté ce qu'il veut.

Ses besoins matériels

Ils sont très importants, surtout au niveau de ce qui touche son rayonnement extérieur. A horreur de la pauvreté matérielle et intellectuelle.

Ce qui l'encourage sur le plan intellectuel

Rire. Il a besoin d'être le premier de sa classe en un seul domaine peut-être, mais tient à le demeurer.

Ce qui le décourage sur le plan intellectuel

La non-compréhension des autres. Il ne peut supporter de perdre une certaine connaissance. Même très jeune, il a besoin de percer les mystères de l'univers ou du moins de découvrir ce qui le hante.

Que faire s'il est surdoué?

Lui donner des responsabilités humanitaires et surtout ne pas trop l'admirer ouvertement, car il est déjà assez imbu de lui-même.

Que faire s'il est sous-doué?

L'aimer. Même très sous-doué, l'enfant Lion a toujours une richesse à apporter à son entourage et il possède de grandes qualités et beaucoup de fierté même avec le pire des handicaps.

De quoi dépend son épanouissement?

De l'image qu'il a de lui-même.

Quand sombre-t-il dans l'angoisse?

Quand on le compare trop aux autres ou qu'on néglige trop son éducation.

Sa vision de l'amitié

Elle est royale. Il a besoin, même petit, de se montrer digne de ceux qui l'aiment.

Sa vision de la souffrance

La dépasser. Ne tolère pas que les gens qu'il aime se laissent vaincre par la souffrance. L'un des pires heurts de sa vie d'enfant est la découverte de la faiblesse humaine.

Le rôle des parents face à son éducation sexuelle
Vital, surtout du côté du père. .

Ce qu'il attend de sa mère
L'adoration. Il a besoin d'être adoré et d'adorer. Cela est exagéré, mais c'est ainsi.

Ce qu'il attend de son père
L'intelligence et le rayonnement intérieur.

Son attitude face à ses frères et soeurs
Il veut trop les dominer et cela peut être un handicap pour eux plus tard.

Comment le traiter s'il est enfant unique
Éviter de le vanter car déjà, par nature, l'enfant Lion se surestime.

Si ses parents se séparent
Il a besoin de garder une image très belle des deux. Si cela est conservé, il n'y a pas de drame profond.

Sa perception de l'autorité
Il se dit qu'il est lui-même sa propre autorité. Peu de gens ont accès à l'autorité à ses yeux.

Apprentissage de la liberté
Très facile. Son intérêt pour la vie est déjà tellement grand que l'apprentissage de la liberté fait partie intégrante de son enfance.

Passage de l'enfance à l'adolescence
Chez l'enfant Lion, ce passage s'effectue très vite. L'enfant Lion a tellement hâte de vivre pleinement qu'il quitte facilement les sentiers de l'enfance.

Lion ascendant Bélier
Très intéressant à éduquer. Rapidité d'esprit, intelligence alerte, comportement franc.

Lion ascendant Taureau
Entêté. Prend pour acquis que tout est possible. Méprise les adultes qui le traitent en enfant. Prend conscience très jeune des besoins matériels de la vie.

Lion ascendant Gémeaux
Superbement intelligent. Rapidité d'esprit étonnante. Besoin d'être aimé de ses voisins et de son entourage. Captive ceux qui l'entourent.

Lion ascendant Cancer
Besoin de capter pour lui seul l'affection de ses proches. Possibilité de jalousie envers les êtres qui recherchent aussi cette affection. Sensibilité extrême du système nerveux et de l'estomac.

Lion ascendant Lion
Il est très fier, très beau, très facile à comprendre, mais peut

avoir des crises nerveuses intolérables s'il se sent menacé de perdre ce qui lui est dû. Ne tolère pas la froideur.

Lion ascendant Vierge

Très logique dans ses jugements. Très possessif dans ses affections et très silencieux dans l'expression de ses besoins. Confond des éléments contradictoires aux niveaux émotionnel et affectif.

Lion ascendant Balance

Très grand charme. Possibilité de se faire beaucoup d'amis. Magnétisme facile et qui donne du bonheur à ceux qui l'entourent. Facilité d'aimer et d'être aimé des autres.

Lion ascendant Scorpion

Grande autonomie. Pense très vite à sa vie d'adulte. Peut découvrir très jeune ce qu'il fera plus tard. Se sent appelé à vivre des choses peu communes.

Lion ascendant Sagittaire

Besoin d'aller conquérir l'univers. Se dit que, plus tard, il fera le tour du monde ou du moins sera appelé à vivre des situations exceptionnelles au cours de déplacements. Besoin d'avoir un entourage qui le pousse à aller de l'avant. A horreur de la surprotection.

Lion ascendant Capricorne

Enfant responsable qui mûrit très vite et qui n'a pas de temps à perdre à être cajolé et couvé. A horreur qu'on le traite en enfant et se sent sur un pied d'égalité avec les gens de son entourage.

Lion ascendant Verseau

Il explose, il est partout, il est roi et maître dans tout ce qu'il vit. Son intelligence et son émotivité se développent très vite. N'accepte pas d'être limité par le temps et par la logique.

Lion ascendant Poissons

Charme extraordinaire. A souvent de très beaux yeux. Magnétisme alliant la faiblesse et la volonté. Grande capacité d'être aimé de tout le monde. Sensibilité aiguë à la souffrance des gens qui sont démunis.

Difficultés physiques: Le dos et la colonne vertébrale sont très fragiles.
Difficultés psychologiques: Veut briller. Veut être roi. Tolère mal qu'on rivalise avec lui.

Vierge

La Vierge étant dominée par la planète Mercure, l'enfant et l'adolescent nés sous ce signe sont attirés vers des domaines à caractère intellectuel, logique et raisonnable. Tous les enfants de la Vierge ne sont pas nécessairement dominés par la planète Mercure mais, dans l'universel, le signe de la Vierge est dominé par cette planète.

Son émotivité (qui est-il?)

Il est très réservé. Il ne parle pas fort, ne crie pas, et vit si intérieurement ses émotions que certains pourraient penser qu'il n'en a pas.

Ses besoins matériels

Restreints, mais très importants. Il adore l'ordre; il aime surtout que tout se situe dans un contexte logique et qu'on ne vienne pas brouiller son royaume.

Ce qui l'encourage sur le plan intellectuel

La logique. Que tout ce qu'on lui apprend se tienne. C'est cette qualité essentielle qu'il demande à ceux qui l'éduquent.

Ce qui le décourage sur le plan intellectuel

Le babillage sur des sujets inutiles et la perte de temps. Il a besoin que les choses se condensent d'elles-mêmes et, si cela ne se fait pas, il devient un enfant turbulent par manque de satisfaction mentale.

Que faire s'il est surdoué?

Lui enseigner très tôt l'humilité pour éviter qu'il ne s'en tienne qu'à la logique et à la raison tout au long de sa vie. Accorder aussi une grande importance aux sentiments, car s'il brille tôt par son intelligence, il peut être porté, à l'âge adulte, à étouffer ses sentiments.

Que faire s'il est sous-doué?

Surtout ne pas lui imposer des tâches que personne ne veut accomplir, car cela aggraverait son problème. Le traiter logiquement et humanitairement comme tout le monde. Il est très sensible à cela.

De quoi dépend son épanouissement?

De la forme d'affection qu'il aura reçue dans son foyer.

Quand sombre-t-il dans l'angoisse?

Quand tout est trop facile autour de lui.

Sa vision de l'amitié

Il a peu d'amis mais il est fidèle.

Sa vision de la souffrance

Il souffre beaucoup en silence. Il ressent très fortement les heurts mais sans les exprimer, d'où le fait que certaines personnes croiront qu'il ne ressent rien.

Le rôle des parents face à son éducation sexuelle

Les explications doivent être apportées délicatement et discrètement car tout ce qui est heurt, tout ce qui est trop violent ou tout ce qui est révélation-choc le trouble et le fait se détourner du sujet.

Ce qu'il attend de sa mère

De la discrétion. Il veut qu'elle l'aime suffisamment pour ne pas lui parler de ce qu'il ne peut pas affronter, et surtout pour ne pas le dénoncer aux autres, car l'enfant Vierge a beaucoup de secrets.

Ce qu'il attend de son père

La loyauté morale. Si son père ne l'a pas, il ne se sentira pas obligé de l'avoir à l'âge adulte. Il justifiera tous ses manques par une raison intellectuelle.

Son attitude face à ses frères et soeurs

Il discute beaucoup et il est très touché par les petits détails de la vie familiale. Des riens prennent une importance primordiale pour lui.

Comment le traiter s'il est enfant unique

Développer ses facultés intellectuelles mais surtout ses penchants humanitaires, car il a tendance à s'enfermer dans un univers personnel.

Si ses parents se séparent

Il aura une attitude de silence, de réserve et même d'austérité. Il refuse d'en parler.

Sa perception de l'autorité

L'autorité ne le touche pas. Si elle lui convient, tant mieux, si elle ne lui convient pas, il se dit qu'elle ne durera qu'un temps.

Apprentissage de la liberté

Difficile matériellement car il tient beaucoup à des petits détails de l'existence qui sont très sécurisants, mais facile mentalement car tout l'excite intellectuellement.

Passage de l'enfance à l'adolescence

Ce passage s'effectue assez facilement et sans heurt apparent. L'enfant Vierge n'aime pas qu'on discute de lui-même. Il adore la discrétion.

Vierge ascendant Bélier

A beaucoup de mal à savoir ce qu'il veut. Très grande complexité morale. Passe des excès de colère à des excès de silence.

Vierge ascendant Taureau

Sens pratique. Ne se mêle pas de ce qui ne le regarde pas. Sait d'instinct quoi faire pour être heureux et ne se complique pas l'existence.

Vierge ascendant Gémeaux

Il joue des tours, il est espiègle, il a toujours des mots d'esprit pour faire rire l'entourage. Vie psychique très complexe. Enfant super-intelligent.

Vierge ascendant Cancer

C'est l'enfant facile à élever. Il comprend rapidement ce qu'on attend de lui. Il ne se complique pas la vie inutilement. Il accorde une grande importance à la nourriture et aux soins qu'on lui prodigue.

Vierge ascendant Lion

Accorde une importance capitale à la vie matérielle de ses

parents. Grands besoins affectifs et matériels. Aime briller. Intelligence du moment présent.

Vierge ascendant Vierge

Très sensible à toutes les petites blessures et aussi à tout ce qui entoure sa vie psychique. A besoin de partage et d'amour. Sait très vite si on l'aime ou si on ne l'aime pas. Critique beaucoup les autres au niveau affectif.

Vierge ascendant Balance

Complexe d'infériorité s'il ne se sent pas aimé de son entourage. Cependant, beaucoup de charme, et grande intuition pour déceler les faiblesses des autres.

Vierge ascendant Scorpion

Passe par des extrêmes d'amour et de froideur. Ne tolère d'aucune façon qu'on lui enlève sa place en quoi que ce soit. Est tantôt très ardent et tantôt très froid. Ne vit que dans des extrêmes.

Vierge ascendant Sagittaire

Besoin de manifester très jeune ses possibilités. Si rien n'est réalisé dans l'enfance, il rêve de partir au loin et il est toujours prêt à croire qu'ailleurs tout ira mieux. Grand besoin de s'émanciper, mais aussi, retenue possible de ce besoin de vivre.

Vierge ascendant Capricorne

Très sérieux. Ne tolère absolument pas qu'on se joue de lui. Aime qu'on le traite en personne sérieuse et profonde. A horreur de toute forme de frivolité.

Vierge ascendant Verseau

Très grande originalité dans sa perception de la vie. Demande beaucoup à ses parents au niveau des détails dans les manifestations de leur amour et de leur affection. A toujours peur d'être séparé de ceux qu'il aime. Système nerveux fragile.

Vierge ascendant Poissons

Connaît des périodes de froideur et des périodes de grands sentiments. A la larme facile et est extrêmement sensible à ce que les autres peuvent penser de lui.

Difficultés physiques: Tout ce qui se rapporte à l'alimentation et à l'élimination des aliments est très sensible ainsi que tout ce qui se rapporte au système nerveux et neuro-végétatif.

Difficultés psychologiques: Tendance excessive à l'analyse.

Balance

Le signe de la Balance étant dominé par Vénus et Saturne, les enfants et les adolescents Balance sont portés soit à aimer la beauté, à désirer la paix, soit à être timides, repliés sur eux-mêmes et, souvent, à avoir peur des contacts humains. Cependant, un enfant et un adolescent peuvent être nés sous le signe de la Balance sans avoir Vénus et Saturne comme dominantes. La Balance est dominée dans l'universel par ces deux planètes, mais chaque enfant a sa dominante particulière.

Son émotivité (qui est-il?)
Il exige peu, mais il aime ce qui est beau.

Ce qui l'encourage sur le plan intellectuel
La subtilité. Il a besoin que les êtres qui lui parlent lui enseignent une certaine finesse de l'âme. Sans cela, il ne veut rien comprendre.

Ce qui le décourage sur le plan intellectuel
La grossièreté. Il ne peut tolérer aucune forme de grossièreté.

Que faire s'il est surdoué?
L'humaniser le plus possible. Ne pas l'enfermer dans une tour d'ivoire car la solitude lui serait trop pénible.

Que faire s'il est sous-doué?
Lui enseigner à voir la beauté de la vie. Cela sera son ultime recours dans les épreuves.

De quoi dépend son épanouissement?
De l'harmonie entre les êtres qu'il côtoie. C'est la seule règle à laquelle il croit.

Quand sombre-t-il dans l'angoisse?
Quand il vit dans une atmosphère de sécheresse morale et affective.

Sa vision de l'amitié
La sincérité et l'affection. Il a énormément besoin de partager et d'aimer.

Sa vision de la souffrance
Il ne veut tout simplement pas la voir, et il en est tellement troublé qu'il n'en parle pas.

Le rôle des parents face à son éducation sexuelle
L'important, c'est l'amour. L'enfant Balance sait, d'une façon concrète et totale, les degrés d'amour qui existent entre ses parents et les êtres qui l'entourent.

Ce qu'il attend de sa mère
Une grande union morale et beaucoup de raffinement au niveau de l'âme.

Ce qu'il attend de son père
Beaucoup de présence. C'est cela uniquement qui lui importe

et, à ce niveau, il est excessivement exigeant.

Son attitude face à ses frères et soeurs

Il a extrêmement besoin d'être protégé ou de protéger. Grande soif de tendresse.

Comment le traiter s'il est enfant unique.

Lui donner beaucoup d'amour, mais lui faire éviter les pièges de la facilité.

Si ses parents se séparent

Cela peut briser son idéal de la vie à deux, mais il n'en parlera pas.

Sa perception de l'autorité

Au départ, il peut être trop soumis et peut sembler ne rien demander dans l'existence; mais attention, ce n'est qu'une apparence.

Apprentissage de la liberté

Cet apprentissage est facile, mais pas au niveau matériel. Il est très long pour l'enfant Balance de s'adapter au concret.

Passage de l'enfance à l'adolescence

Ce passage s'effectue sans heurt apparent car l'enfant Balance ne montre pas aux autres ce qu'il ressent. Autant il est silencieux dans la petite enfance, autant il sera loquace plus tard, mais ce qui est jeune chez lui, est toujours auréolé d'une forme de mystère.

Balance ascendant Bélier

Grand charme et grande autonomie naturelle. Pouvoir de séduction. Peut réagir subtilement, puis faire une grande colère.

Balance ascendant Taureau

Attachement à la famille, tendresse, besoin de donner et de recevoir énormément d'affection.

Balance ascendant Gémeaux

Amour, capacité de transcender toutes les situations. Capacité aussi de s'intéresser à tout. Enfant très agréable.

Balance ascendant Cancer

Très grande subtilité dans l'âme. Possibilité d'être très attaché aux parents et de se créer un univers en dehors de l'univers visible.

Balance ascendant Lion

Le charme, la finesse et souvent une parole extrêmement exquise et belle. Très grand amour pour les frères et soeurs et pour l'entourage.

Balance ascendant Vierge

Grande importance des soins matériels et de la valorisation morale. Peur de ne pas être à la hauteur dans plusieurs situations. Sentiment facile de frustration.

Balance ascendant Balance

A besoin d'être aimé, ressent énormément l'amour ou la haine, se sensibilise pour un rien et se fait du mal inutilement.

Balance ascendant Scorpion

Intelligence du moment présent, grande intuition, forte aptitude à ressentir les souffrances et les besoins des autres.

Balance ascendant Sagittaire

Adore ses amis, aime vivre dans un univers de conquête et se dit que la vie entière est à découvrir. Ne supporte aucune forme de passivité morale.

Balance ascendant Capricorne

Enfant grave, sérieux; sens de l'esthétique des actes des autres et des siens. Ne tolère d'aucune façon qu'on le traite en enfant longtemps.

Balance ascendant Verseau

L'univers ne lui suffit pas, il lui semble que tout est trop petit. Intelligence extrêmement développée dans tout ce qui touche les arts et les domaines universels. Comprend tout très vite.

Balance ascendant Poissons

Subtilité, finesse, intériorité. Souffre beaucoup en silence s'il y a peu d'harmonie dans son foyer. Ressent beaucoup ceux qu'il aime.

Difficultés physiques: Tout ce qui se rapporte à l'élimination des liquides. Faiblesse physique qui lui fait craindre toute forme d'agressivité.
Difficultés psychologiques: Ne tolère d'aucune façon de ne pas être aimé et peut même en tomber malade. Ne dira jamais pourquoi il a mal.

Scorpion

Le signe du Scorpion étant dominé par Mars, Uranus et Pluton, il va sans dire que les enfants et les adolescents de ce signe sont très passionnés intérieurement et qu'ils sont capables du meilleur comme du pire. Cependant, un enfant Scorpion peut avoir d'autres dominantes que Mars, Uranus et Pluton. Nous verrons cela au chapitre des dominantes.

Son émotivité (qui est-il?)
Avant tout, il est extrémiste et il saisit l'importance de chaque chose d'une façon radicale.

Ses besoins matériels
Peu nombreux, mais précis. Ce qu'il demande ne se mesure pas à la quantité, mais à la qualité.

Ce qui l'encourage sur le plan intellectuel
L'étude de tout ce qui explique le caractère humain ou le comportement des autres. Il est capable d'aimer d'une façon absolue les gens qui l'entourent.

Ce qui le décourage sur le plan intellectuel
La routine et la trop grande facilité. Un enfant Scorpion qui est placé dans une atmosphère de facilité s'ennuie tellement qu'il risque de dépérir intellectuellement.

Que faire s'il est surdoué
Le mettre rapidement en contact avec les choses passionnantes de l'existence. Sans cela, il méprisera trop facilement les gens qui l'entourent. Il a besoin de servir une cause.

Que faire s'il est sous-doué
Lui parler beaucoup par le regard affectueux. Il comprend le langage des yeux et même si son intelligence n'est pas extrêmement forte, sa sensibilité et son émotivité le sont énormément.

De quoi dépend son épanouissement?
De la passion avec laquelle on l'éduque.

Quand sombre-t-il dans l'angoisse?
Quand son entourage est trop superficiel.

Sa vision de l'amitié
Totale. Il aime ou n'aime pas et peut briser des liens d'amitié s'il sent une certaine médiocrité ou une certaine mollesse intérieure.

Sa vision de la souffrance
Il a horreur de la souffrance du monde et il veut à tout prix, plus tard, faire quelque chose pour la diminuer.

Le rôle des parents face à son éducation sexuelle
Primordial. De l'éducation sexuelle qu'il recevra dépendra entièrement son comportement sexuel futur. Tout est sublime ou tout est laid pour lui. Il n'y a pas de demi-mesure.

Ce qu'il attend de sa mère

La passion. L'enfant Scorpion doit vivre une relation passionnelle, ou alors cette relation n'a aucune valeur à ses yeux.

Ce qu'il attend de son père

Qu'il le regarde en face, quoi qu'il arrive. Sinon, il le fuira.

Son attitude face à ses frères et soeurs

Grande émotivité, sensibilité, serviabilité. Il est capable de tout, ou alors il s'isole dans un univers de froideur.

Comment le traiter s'il est enfant unique

Le mettre très tôt en contact avec les distances telles qu'elles sont. Le ménager d'une certaine façon parce qu'il ressent vivement la souffrance, mais ne pas l'aimer d'une façon trop exclusive.

Si ses parents se séparent

Il a besoin d'en connaître la cause essentielle. On ne lui ment jamais.

Sa perception de l'autorité

L'autorité doit être amicale, sinon il la rejette complètement. Il ne tolère d'aucune façon l'autoritarisme.

Apprentissage de la liberté

Très facile, mais à condition que, sur les choses essentielles, on ne lui ait jamais menti.

Passage de l'enfance à l'adolescence

S'il n'est pas surprotégé, il s'y fait très bien. S'il est surprotégé, il en profitera pour rester enfant très longtemps, et cela, à son détriment.

Scorpion ascendant Bélier

Force de caractère. Ne supporte d'aucune façon d'être évité. A besoin de dominer son entourage.

Scorpion ascendant Taureau

Aime les nourritures matérielles. Ne se lasse jamais de demander. A besoin de preuves concrètes d'amour.

Scorpion ascendant Gémeaux

Grande intelligence de l'entourage. Comprend tout rapidement. Ne se lasse jamais de rien. Aime la nouveauté.

Scorpion ascendant Cancer

Grande émotivité. Amour de la mère. Amour de tout ce qui comporte des sentiments. Aime l'amour pour l'amour.

Scorpion ascendant Lion

Enfant superbe. Un peu dominateur, mais extrêmement valorisant. Tout ce qui est à son avantage l'est pour longtemps.

Scorpion ascendant Vierge

Se torture inutilement. A toujours peur d'être injuste. Sensibilité de l'estomac.

Scorpion ascendant Balance

C'est l'enfant de rêve. Profondeur de jugement et besoin d'esthétique dans la vie quotidienne. Si on l'aime, tout est parfait; si on ne l'aime pas, il devient indifférent.

Scorpion ascendant Scorpion

C'est tout ou rien. C'est l'enfant adorable ou extrêmement difficile à élever. Est direct en tout. N'est jamais menteur, mais simplement comédien.

Scorpion ascendant Sagittaire

Aime voyager, veut aller très loin. Comprend les besoins des autres et a l'âme très large.

Scorpion ascendant Capricorne

Très sérieux, très profond. Vit passionnément ses relations avec le monde des adultes. Est un petit adulte lui-même.

Scorpion ascendant Verseau

Passionnément intéressé par tout ce qui est de l'au-delà, et tout ce qui est profond. Ne tolère pas la mesquinerie et les petites choses.

Scorpion ascendant Poissons

Sensibilité extrême à la souffrance. Il est capable de donner le meilleur de lui-même; il a beaucoup de bonté pour ceux qui souffrent et il peut apporter des grâces spirituelles et psychiques à son entourage par sa grande compréhension. Même enfant, il peut développer un aspect mystique et intérieur très fort.

Difficultés physiques: Tout ce qui se rapporte à la vie sexuelle est très sensible. Problèmes fréquents au niveau des ovaires et de l'utérus qui se manifestent chez la fille dès le jeune âge.

Difficultés psychologiques: Peur de perdre ceux qu'il aime. A constamment besoin de se faire prouver qu'on l'aime.

Sagittaire

Le signe du Sagittaire étant gouverné par Jupiter, il est essentiel que les enfants et les adolescents nés sous ce signe reçoivent un idéal quelconque de la vie. Sinon, ils ressentiront un vide intolérable et s'adonneront à la fantaisie du jeu humain d'une façon souvent triste. Cependant, les enfants nés sous le signe du Sagittaire n'ont pas nécessairement Jupiter comme dominante. Nous verrons cela au chapitre des dominantes. Mais dans l'universel, le Sagittaire est dominé par Jupiter.

Son émotivité (qui est-il?)
Il réagit vite à tout. Il est extrêmement ouvert à la vie et il l'accepte telle qu'elle est. C'est un enfant très facile à éduquer.

Ses besoins matériels
Il a surtout besoin d'un idéal qui le fasse rêver à d'autres cieux et à d'autres plans de vie.

Ce qui l'encourage sur le plan intellectuel
Qu'on comprenne son besoin d'idéal et d'évolution constante.

Ce qui le décourage sur le plan intellectuel
Les petites choses. Il a horreur qu'on le fasse revenir sur les détails de la vie et qu'on lui répète mille fois que telle chose est très importante alors que, pour lui, elle ne l'est pas.

Que faire s'il est surdoué?
Orienter le plus possible son développement sur le plan humanitaire. Surtout lui faire comprendre que les dons qu'il a reçus doivent servir à l'humanité.

Que faire s'il est sous-doué?
Développer au maximum sa curiosité car elle est très forte.

De quoi dépend son épanouissement?
De la grandeur morale des gens qui l'éduquent.

Quand sombre-t-il dans l'angoisse?
Quand l'éducation qu'il reçoit est dénuée d'idéal.

Sa vision de l'amitié
Grandiose. Il a besoin de magnifier et d'embellir tout ce qui se rapporte à l'amitié.

Sa vision de la souffrance
Il se dit qu'elle sert à éduquer l'âme, mais il n'aime d'aucune façon la morbidité.

Le rôle des parents face à son éducation sexuelle
Il doit être essentiellement question de beauté. L'enfant Sagittaire comprend facilement et est apte à tout aimer si la beauté morale est présente.

Ce qu'il attend de sa mère

Qu'elle ne le brime pas au niveau de ses idéaux. Même très jeune, il voit la vie sous un angle idéaliste. Sa mère, par sa possibilité de développer ou d'inhiber cet idéal, a un rôle extrêmement particulier.

Ce qu'il attend de son père

Un cheminement qui le conduise vers un idéal élevé. Sinon, il en ressentira une grande douleur morale.

Son attitude face à ses frères et soeurs

Étant donné qu'il se pense citoyen du monde, cela ne le dérange absolument pas d'avoir plusieurs frères ou soeurs. Mais il a tendance à les régenter.

Comment le traiter s'il est enfant unique

Surtout, ne pas le placer dans des situations complexes susceptibles d'aboutir à une impasse. Lui faire comprendre très tôt que ses besoins ne seront pas nécessairement toujours comblés.

Si ses parents se séparent

Il a absolument besoin des deux parents. Ce sera une erreur totale de l'amener à choisir.

Sa perception de l'autorité

Il accepte l'autorité avec beaucoup de sagesse.

Apprentissage de la liberté

La liberté est pour lui une chose si naturelle que tout se passe très bien.

Passage de l'enfance à l'adolescence

Ce passage s'effectue sans aucune difficulté, car le Sagittaire a vraiment hâte de grandir.

Sagittaire ascendant Bélier

Enfant très intéressant à élever. Développement extraordinaire au niveau de la pensée. Aime à entendre parler de ce qui est peu commun. S'éveille à tout très facilement.

Sagittaire ascendant Taureau

Besoin de sécurité et, en même temps, besoin de dépasser ce besoin qu'il considère comme un handicap. Enfant charmeur qui a toujours quelque chose à apporter et qui saisit rapidement l'essentiel des choses et de la vie.

Sagittaire ascendant Gémeaux

Très intéressant. Développement intellectuel rapide. Vivacité mentale. Besoin de déménager ou de vivre à plusieurs endroits. Adaptabilité profonde.

Sagittaire ascendant Cancer

Grande influence de la mère et de l'atmosphère de la vie de famille. Idéalise tout.

Sagittaire ascendant Lion

Enfant merveilleux à élever. Aucune difficulté profonde si ce n'est au niveau de ses besoins affectifs très grands et difficiles à combler. Intelligence qui s'éveille très tôt.

Sagittaire ascendant Vierge
Très haute possibilité de vie à deux. Intime avec ses parents. Remarque tout et dramatise à maintes occasions des situations qui n'en valent pas la peine.

Sagittaire ascendant Balance
Grande facilité d'élocution. Intelligence du moment présent.

Sagittaire ascendant Scorpion
Va à l'essentiel des choses. Besoin de posséder les êtres qu'il aime. Souffre facilement de jalousie, de petits drames passionnels qu'il s'invente ou qu'il vit.

Sagittaire ascendant Sagittaire
Questionne sans arrêt, veut tout connaître, veut tout aimer et sans limite.

Sagittaire ascendant Capricorne
Vie intérieure très intense. Réalise tout mais n'en parle pas. Souffre énormément si les gens qu'il côtoie n'ont pas d'idéal.

Sagittaire ascendant Verseau
Aime l'univers. Adore que ses parents discutent de choses cosmiques, universelles, sans réserve devant lui. A horreur d'être traité en enfant et cela, dès son plus jeune âge.

Sagittaire ascendant Poissons
Instinct religieux très développé. Sentiment d'appartenance à des plans spirituels. C'est sa caractéristique principale.

Difficultés physiques: Sensibilité très aiguë des jambes et des bras.
Difficultés psychologiques Adaptation parfois difficile à son milieu.

Capricorne

Le signe du Capricorne étant gouverné par Mars et Saturne, il est évident que les enfants et les adolescents de ce signe sont portés à être très sérieux, actifs intérieurement et ne tolèrent aucune forme de superficialité. Mais chaque enfant n'est pas nécessairement dominé par Mars et Saturne. Il peut avoir sa dominante personnelle et c'est ce que nous verrons au chapitre des dominantes.

Son émotivité (qui est-il?)

Il est affectivement sérieux. Il a une âme qui est ouverte à des sujets profonds et il ne se plaît pas toujours en compagnie des enfants de son âge. Il est déjà d'un âge plus avancé.

Ses besoins matériels

Peu nombreux. Il vit d'une façon assez retirée. Il ne demande rien à personne et se contente surtout de ce qui lui apporte la solitude et la paix, par exemple une chambre dans laquelle il peut se réfugier.

Ce qui l'encourage sur le plan intellectuel

Le dépassement par le dépouillement. Avec peu, il accomplit beaucoup. Avec des choses du passé, il comprend les choses présentes. Il ne peut tolérer qu'on se mêle de sa vie intellectuelle si ce n'est pour discuter d'égal à égal. Il n'aime pas être traité en enfant.

Ce qui le décourage sur le plan intellectuel

La superficialité. Même très jeune, il ne la supporte pas et elle le fait s'éloigner de tout.

Que faire s'il est surdoué?

L'ouvrir au monde, car souvent il sera surdoué pour des choses qui le porteront à s'isoler et à s'intérioriser.

Que faire s'il est sous-doué?

Le traiter avec un grand respect et détecter en lui la part de maturité. Développer beaucoup le travail des mains. Le valoriser, car c'est un enfant qui, par lui-même, ne se valorise pas suffisamment.

De quoi dépend son épanouissement?

De la solidité des liens des personnes qui l'entourent. Cela seul lui importe.

Quand sombre-t-il dans l'angoisse?

Quand il y a des changements trop brusques à tous les niveaux. Il a besoin de temps pour comprendre les choses et pour les assimiler.

Sa vision de l'amitié

Elle est vraiment profonde. Il aime très peu de gens et l'amitié est pour lui une chose extrêmement sérieuse.

Sa vision de la souffrance

Il la comprend naturellement et on n'a rien à lui expliquer à ce sujet.

Le rôle des parents face à son éducation sexuelle

Il n'a pas besoin qu'on lui parle de tout, mais qu'on lui parle clairement et qu'on lui explique la continuité des situations. C'est sur cela que se base son éducation sexuelle.

Ce qu'il attend de sa mère

Une présence intérieure. C'est surtout de cela qu'il a besoin.

Ce qu'il attend de son père

Un sens du devoir. C'est chez lui une qualité innée et c'est très grave s'il ne la retrouve pas chez son père.

Son attitude face à ses frères et soeurs

Souvent, quel que soit son rang dans la famille, il est le plus sérieux. Et c'est lui, d'une certaine façon, qui commande l'ambiance et les événements. Il fera toujours en sorte que ses frères et soeurs l'écoutent.

Comment le traiter s'il est enfant unique

Surtout, ne jamais l'isoler car il est déjà assez replié sur lui-même de par ses caractéristiques astrologiques. L'ouvrir sur le monde le plus possible.

Si ses parents se séparent

Ne jamais le blesser, ne jamais en faire un drame devant lui, car il en gardera rancune éternellement.

Sa perception de l'autorité

Il se dit qu'il est sa propre autorité, et il accepte l'autorité d'autrui uniquement dans le but de parfaire son évolution.

Apprentissage de la liberté

Facile, car il n'est pas enfant longtemps. Mais tout se passe à l'intérieur.

Passage de l'enfance à l'adolescence

Imperceptible. Il n'y a pas de cri, pas de heurt. Ce passage se fait très tôt et d'une façon assez profonde.

Capricorne ascendant Bélier

Enfant qui aime l'action, qui est optimiste, qui voit tout d'une façon assez claire et dont l'intelligence a besoin de passer aux choses concrètes pour se réaliser.

Capricorne ascendant Taureau

Est extrêmement marqué par la vie de ses parents et garde toute sa vie une empreinte profonde de ce qu'a été son foyer. Besoin de solidité affective. Sinon, il se sent perdu.

Capricorne ascendant Gémeaux

Tantôt jeune, tantôt vieux, tantôt sérieux, tantôt cabotin, il passe facilement d'une attitude à une autre. Enfant intéressant à élever parce qu'il possède une grande richesse intérieure en même temps qu'une grande fantaisie.

Capricorne ascendant Cancer

Il a tellement besoin d'amour que cela le fige. S'il n'en reçoit pas, il n'ose pas en demander. Subit beaucoup les émotions des autres.

Capricorne ascendant Lion

Il sait qu'il est le roi, il domine le monde adulte. Il ne ressent d'aucune façon le besoin de se faire complimenter ou réprimander car il sait ce qu'il a à faire.

Capricorne ascendant Vierge

Extrêmement sérieux, et même austère. Médite sur le moindre détail. Ne comprend pas qu'on ne soit pas à son niveau.

Capricorne ascendant Balance

C'est le charme et la profondeur. C'est la grâce alliée à la sagesse. Enfant d'une grande richesse intérieure.

Capricorne ascendant Scorpion

Sens de l'équilibre entre les situations et les êtres. N'accepte jamais qu'on veuille se mêler de sa vie psychique. Développement intérieur grandiose.

Capricorne ascendant Sagittaire

Besoins matériels proportionnés à son besoin d'évolution. N'accepte pas qu'on veuille lui imposer quelque chose ou le limiter dans quoi que ce soit. Ressent profondément les injustices humaines.

Capricorne ascendant Capricorne

Mis à part le manque de fantaisie, c'est l'enfant qu'on n'entend pas, qu'on ne voit pas; il vit en lui-même, ne demande rien et connaît d'instinct les sentiments des autres à son égard.

Capricorne ascendant Verseau

Enfant très sérieux qui demande très tôt son autonomie. Se singularise par sa maturité précoce. N'accepte de faire ce que ses parents et éducateurs lui demandent que dans la mesure où ceux-ci donnent l'exemple.

Capricorne ascendant Poissons

C'est l'enfant secret par excellence. Souffre beaucoup en silence du manque d'affection mais a de la difficulté à exprimer ses besoins. Tout pour lui est important.

Difficultés physiques: Tout ce qui se rapporte aux coudes, aux genoux et aux chevilles.

Difficultés psychologiques: Tendance à la taciturnité et à l'auto-analyse excessive.

Verseau

Le signe du Verseau étant dominé par la planète Uranus, les enfants et les adolescents nés sous ce signe sont souvent originaux et n'acceptent pas qu'on les commande d'une façon trop brusque. Ils ont le sens de l'autonomie très développé dès leur jeune âge. Cependant, un enfant peut être né sous le signe du Verseau sans avoir Uranus comme dominante. Nous verrons cela au chapitre des dominantes. Mais dans l'universel, le Verseau est dominé par Uranus.

Son émotivité (qui est-il?)

C'est un enfant qui vous surprend, car son évolution et sa façon de voir les choses, de comprendre les êtres sont toujours très originales ou du moins sortent des sentiers battus. C'est un enfant très intelligent dans la majorité des cas, mais il n'obtient pas nécessairement de bons résultats à l'école. Il réussit très bien à s'imposer sur le plan de l'intelligence ou alors il se replie sur lui-même.

Ses besoins matériels

Il aime tout ce qui lui permet d'avancer dans la connaissance de l'humain, mais aussi dans la connaissance de ce qui est supra-humain. Ce qui ne permet pas cet avancement l'ennuie. Donc, ne pas le gaver inutilement de biens matériels qui n'ont pas de rapport avec ses besoins intérieurs.

Ce qui l'encourage sur le plan intellectuel

Le défi. Il aime comprendre ce qui est complexe et se lasse très vite de ce qui est trop facile.

Ce qui le décourage sur le plan intellectuel

La platitude sous toutes ses formes. Il ne tolère pas que les choses soient stationnaires ou du moins qu'on ne veuille pas les faire avancer.

Que faire s'il est surdoué?

Faire très attention à son système nerveux, car même très surdoué, un enfant Verseau ira jusqu'au bout de ses limites nerveuses et cela peut le fatiguer énormément. De toute façon, il faut le mettre rapidement en contact avec le monde de l'infini.

Que faire s'il est sous-doué?

Lui faire connaître plusieurs choses variées, car même si son intelligence est souffrante, son émotivité l'appréciera. Respecter énormément ses besoins d'autonomie intérieure.

De quoi dépend son épanouissement?

Du respect de son originalité. C'est la base de tout.

Quand sombre-t-il dans l'angoisse?

Quand on dit que ses rêves sont impossibles à réaliser.

Sa vision de l'amitié

Elle est extraordinaire par sa générosité, par son ampleur et par la place qu'elle tient dans sa vie. Ses amis sont une deuxième famille pour lui.

Sa vision de la souffrance

Elle lui cause toujours un choc nerveux, émotif ou intellectuel, car il n'accepte pas les limites que la souffrance impose ni le fait que la science ne puisse la supprimer complètement.

Le rôle des parents face à son éducation sexuelle

Cette éducation doit être axée sur les notions de liberté et de rigueur dans les actes. Cependant, c'est un enfant qui remettra en question, au niveau juridique, tout ce qui touche la sexualité dans le monde, et cela, dès son jeune âge.

Ce qu'il attend de sa mère

Un respect total de lui. Sinon, c'est la brisure intérieure.

Ce qu'il attend de son père

Le non-autoritarisme sous toutes ses formes. Si son père abuse de l'autorité, il ne le prendra pas au sérieux.

Son attitude face à ses frères et soeurs

Il est capable de les entraîner partout où il y a des risques et où il y a quelque chose à connaître. Il n'a pas le sens du temps; donc, pour lui, ses frères et soeurs sont déjà des adultes.

Comment le traiter s'il est enfant unique

Surtout, ne pas le gâter, car cela empêcherait son envol intérieur vers des contrées où il désire aller.

Si ses parents se séparent

Il veut garder la confiance des deux et faire confiance aux deux. Pour lui, l'effet de la confiance est miraculeux.

Sa perception de l'autorité

Il ne croit pas à l'autorité. Il se dit que ce n'est qu'une question d'âge si les adultes le commandent, et quand il n'y a pas de respect mutuel, il ne leur obéit qu'extérieurement.

Apprentissage de la liberté

Très facile. Il naît libre.

Passage de l'enfance à l'adolescence

Ce passage se fait très vite. L'enfant Verseau a très hâte d'être libre et autonome.

Verseau ascendant Bélier

Enfant très intéressant, rapide, intelligent, qui s'éduque presque tout seul, surprend toujours son entourage par des sautes d'humeur, et est toujours franc et honnête.

Verseau ascendant Taureau

A beaucoup de mal à devenir adulte par peur de perdre la sécurité matérielle, mais sait très bien faire la synthèse entre ce qui est nécessaire et ce qui est superflu. Enfant logique.

Verseau ascendant Gémeaux

C'est très intéressant. C'est un enfant qui amène des choses totalement différentes au foyer, qui donne une apparence de légèreté à tout ce qu'il touche et qui s'éduque par lui-même.

Verseau ascendant Cancer

Partagé entre le besoin de liberté et le grand amour de ses parents, il a besoin d'un foyer où règne l'amour et où il n'y a surtout pas de disputes sur des choses essentielles.

Verseau ascendant Lion

Il se donne des airs de dictateur ou du moins de conquérant car il sent que l'univers lui appartient.

Verseau ascendant Vierge

Complexité, dans l'éducation, au niveau des petits détails. Il se fait de la peine pour des riens et peut être malade si des changements trop brusques interviennent dans l'environnement. Enfant hypersensible et sujet à des maladies psychosomatiques.

Verseau ascendant Balance

Grande finesse de l'âme. Capacité de transcender tout ce qu'il touche. Forte propension artistique et créatrice. Désire avant tout la paix.

Verseau ascendant Scorpion

Intelligence qui remet tout en question. N'accepte rien facilement. Désire toujours comprendre de plus en plus. Est attiré vers ce qui est impalpable.

Verseau ascendant Sagittaire

Aime l'univers. Capable d'avoir des amis dans tous les milieux. Se dit que la vie est une éternelle ascension.

Verseau ascendant Capricorne

Grand besoin de posséder ce qui lui appartient. Ne tolère pas qu'on lui enlève quoi que ce soit. Peur de la privation.

Verseau ascendant Verseau

Grande intégrité morale. Originalité qui dépasse tout. Besoin de se dire que tout recommencera et que tout sera très beau. Sentiment de la beauté même dans les pires situations.

Verseau ascendant Poissons

Sentiment aigu de la solitude même dans les groupes. Système nerveux très sensible. Vibrations intérieures très fortes.

Difficultés physiques: Système nerveux hypersensible.
Difficultés psychologiques: Difficulté à accepter la lenteur de son entourage.

Poissons

Le signe des Poissons étant gouverné par Neptune et Jupiter, il est évident que les enfants nés sous ce signe sont hyperémotifs, ressentent beaucoup les vibrations entre les êtres et sont très réceptifs à toute forme de souffrance. Cependant, un enfant peut être Poissons sans avoir nécessairement Neptune ou Jupiter comme dominante. Nous verrons cela au chapitre des dominantes. Mais dans l'universel, le signe des Poissons est dominé par Neptune et Jupiter.

Son émotivité (qui est-il?)

Une émotivité intériorisée. Il n'aime pas exprimer, il veut que l'on comprenne sans qu'il ait à se servir des mots.

Ses besoins matériels

Il a surtout besoin de choses qui l'inciteront à rêver et d'un coin où il pourra se recueillir et penser. Souvent, dans un groupe d'enfants, c'est lui qui reçoit les confidences et qui panse les blessures physiques ou morales.

Ce qui l'encourage sur le plan intellectuel

Les sentiments. Tout passe d'abord par les sentiments.

Ce qui le décourage sur le plan intellectuel

La rapidité par laquelle on n'approfondit rien. Les choses l'intéressent en autant qu'il peut les sentir, les comprendre, les analyser intérieurement. En dehors de cela, tout n'est que vaine parodie intellectuelle.

Que faire s'il est surdoué?

D'abord, il est très humble. Même s'il est surdoué, il n'en fera pas une histoire. Donc, le problème de l'orgueil ne se posera pas. L'aider à communiquer et à comprendre de plus en plus les autres.

Que faire s'il est sous-doué?

Lui donner beaucoup d'amour et de protection; il en a extrêmement besoin et, même s'il n'est pas capable de l'exprimer, ce besoin n'en est pas moins fort.

De quoi dépend son épanouissement?

De la sensibilité dans laquelle il baigne. Tout est question de sensibilité chez lui.

Quand sombre-t-il dans l'angoisse?

Quand on lui met une charge trop lourde sur les épaules. Cela peut réveiller chez lui une révolte et une angoisse insurmontables.

Sa vision de l'amitié

Dévouement. Il est essentiellement dévoué aux gens qu'il aime. Cela fait partie de son caractère profond.

Sa vision de la souffrance

Il la comprend puisqu'il vit intérieurement toute la souffrance du monde ou du moins est apte à la ressentir, à en ressentir le pourquoi et l'absurdité.

Le rôle des parents face à son éducation sexuelle

Pour lui, tout est subtilité. Il a besoin de nuances et d'intelligence dans tout ce qui touche les choses essentielles de la vie.

Ce qu'il attend de sa mère

La contemplation, ou qu'elle lui ouvre l'âme à ce qui est immortel et invisible.

Ce qu'il attend de son père

Un véritable dialogue dans lequel les mots sont dépassés par la compréhension intérieure.

Son attitude face à ses frères et soeurs

Souvent, une attitude de compréhension et de silence. Une attitude de souffrance même s'il n'y en a pas. De toute façon, son monde est toujours tourmenté.

Comment le traiter s'il est enfant unique

Surtout, ne pas l'enfermer dans un cercle car il est déjà replié sur lui-même.

Si ses parents se séparent

Il en parle peu. Il n'aime pas qu'on l'interroge et encore moins qu'on l'oblige à s'expliquer.

Sa perception de l'autorité

Il n'y adhère pas. Il peut obéir, mais son coeur, son âme, ses forces vitales tendent vers un idéal.

Apprentissage de la liberté

Cet être est essentiellement libre et son apprentissage de la liberté se fait donc de façon naturelle.

Passage de l'enfance à l'adolescence

Ce passage s'effectue très facilement car cet enfant a hâte de comprendre autre chose que notre monde matériel.

Poissons ascendant Bélier

Enfant très intéressant, très beau. Regard magnétique. Est souvent capable d'allier la sensibilité à l'activité. Va vite en tout.

Poissons ascendant Taureau

Besoin fréquent de se sécuriser par le biais des choses matérielles. Juge toujours en faisant des comparaisons avec ce qu'il possède et ce qu'il ne possède pas. S'angoisse inutilement moralement.

Poissons ascendant Gémeaux

Vie émotive très riche et possibilité de passer rapidement d'une chose à l'autre. Grande subtilité.

Poissons ascendant Cancer

Tout baigne dans une atmosphère de paix, d'amour et de sérénité. Tout peut être merveilleux et en même temps difficile, car il manque un peu de réalisme.

Poissons ascendant Lion

Enfant qui s'élève facilement, qui est aimé et qui aime. Grand magnétisme et aussi grande compréhension à tous les niveaux.

Poissons ascendant Vierge

Se complique la vie pour rien. Analyse tout. A toujours besoin d'évaluer l'amour que les autres lui portent. Peur de ne pas être à la hauteur.

Poissons ascendant Balance

Grande sensibilité nerveuse. Emotivité à fleur de peau. Besoin de justice et compassion devant toutes les souffrances. Emotivité à contrôler.

Poissons ascendant Scorpion

Grande possibilité de comprendre dès le jeune âge le comportement humain, surtout dans le silence. Intuition extraordinaire. Bonté.

Poissons ascendant Sagittaire

Possibilité de vivre son enfance dans l'espoir qu'il sera plus tard entièrement libre et ne devra rien à personne. Son enfance n'est vécue que dans une vision d'autonomie future. Ou alors, il devient tout à fait passif et gaspille son énergie.

Poissons ascendant Capricorne

Très haute intelligence de tout ce que comporte le monde des adultes. Maturité précoce en ce qui concerne la compréhension des règles de la vie.

Poissons ascendant Verseau

Il a l'impression de ne pas appartenir à ce monde. Il a besoin de comprendre toutes les formes d'énergie psychique, car il vibre beaucoup à ce qui est invisible. Sentiment constant de son moi intérieur.

Poissons ascendant Poissons

Sensibilité extrême. Besoin de se dévouer. Est souvent très naïf. Emotivité à fleur de peau.

Difficultés physiques: Sensibilité des pieds et des mains.
Difficultés psychologiques: Est très impressionné par l'atmosphère.

Quelle sorte de parent êtes-vous?

Après avoir fait l'analyse des signes astrologiques et des ascendants pour les enfants et les adolescents, nous allons maintenant nous pencher sur les signes astrologiques et les ascendants des parents. J'essaierai ici de vous expliquer quelle sorte de parent vous êtes en fonction de votre signe astrologique et je vous indiquerai ce que vous devez et ne devez pas faire. Quelques données sur la nature de la relation qui s'établit entre votre signe et celui de votre enfant vous aideront à comprendre davantage cette relation ainsi qu'à mieux saisir votre rôle de parent et d'éducateur.

Parent Bélier

Sa force: Son courage et son autonomie.

Sa faiblesse: Le désir d'aller trop vite.

Ce qu'il attend le plus de l'enfant: La loyauté.

Ce qu'il redoute le plus de l'enfant: L'hypocrisie.

Ce qu'il doit développer pour être un meilleur parent: L'esprit de synthèse et le sens des nuances.

Ce qu'il doit éviter: Les impulsions violentes.

Relation d'un parent ou d'un éducateur Bélier

Avec enfant ou adolescent Bélier: Relation où la franchise, l'autonomie, le courage priment. Force de caractère commune qui se respecte, mais il faut éviter les emportements inutiles.

Avec enfant ou adolescent Taureau: Besoin de savoir exactement et concrètement ce qui se passe entre les deux personnes, et cela, dans la franchise la plus absolue. Incapacité commune de supporter le silence.

Avec enfant ou adolescent Gémeaux: Très bonne relation au niveau intellectuel, mais difficile sur le plan des sentiments. Peur commune de se faire souffrir.

Avec enfant ou adolescent Cancer: Relation qui passe par des excès d'autoritarisme et des excès de mollesse. L'un et l'autre sont très complexes psychologiquement.

Avec enfant ou adolescent Lion: Relation dans laquelle la royauté, la dignité et le sens de la noblesse exigent beaucoup et donnent beaucoup. Education de l'âme dans ce qu'elle a de plus beau.

Avec enfant ou adolescent Vierge: Relation dans laquelle prime l'activité mentale. Aussi, possibilité de se faire mutuellement beaucoup de peine pour rien. Sens du détail.

Avec enfant ou adolescent Balance: Relation qui passe par la force et la faiblesse, par l'autorité, l'insouciance, mais très bonne pour développer le sens artistique chez l'enfant ou l'adolescent.

Avec enfant ou adolescent Scorpion: Possibilité d'une relation qui demande trop à l'enfant, qui le pousse au maximum de lui-même et qui peut l'insécuriser. Très bonne relation cependant pour l'éducation intérieure face à la vie. Relation franche.

Avec enfant ou adolescent Sagittaire: Relation dans laquelle l'idéa-lisme et les grandes qualités morales sont très forts. Relation qui demande beaucoup socialement à l'enfant. Danger de projeter ses désirs et ses projets dans l'enfant.

Avec enfant ou adolescent Capricorne: Relation qui risque d'être trop radicale, d'aller d'une façon un peu trop dure au-dedans des choses. Peut laisser l'enfant sous l'impression qu'on n'est jamais satisfait de lui.

Avec enfant ou adolescent Verseau: Une relation dans laquelle l'apprentissage de la liberté est très important. Mais si l'enfant est trop possessif, il peut avoir l'impression qu'on ne l'aime pas assez.

Avec enfant ou adolescent Poissons: Passage d'une très grande force de caractère à une très grande compréhension, et indolence face à l'enfant. Dans cette relation, tout est très développé sur le plan psychique.

Parent Taureau

Sa force: Son sens du concret en tout.

Sa faiblesse: Accorder une trop grande importance aux choses matérielles comme preuves d'amour.

Ce qu'il attend le plus de l'enfant: Qu'il soit sain de corps et d'esprit et que son évolution ne pose pas de problèmes psychiques trop complexes.

Ce qu'il redoute le plus de l'enfant: Les silences et les nuances qui sont indéchiffrables.

Ce qu'il doit développer pour être un meilleur parent: La capacité de donner à l'enfant une sécurité affective, et non exclusivement matérielle.

Ce qu'il doit éviter: Une trop grande concrétisation de tout. La peur d'aller là où les choses ne se disent pas.

Relation d'un parent ou d'un éducateur Taureau

Avec enfant ou adolescent Bélier: Possibilité de comprendre beaucoup de choses, mais souvent de garder, dans cette relation, le silence devant les difficultés qu'elle pose. Sensibilité aiguë à la justice.

Avec enfant ou adolescent Taureau: Relation qui accorde une très grande importance à la nourriture et à l'ordre. Ne tolère d'aucune façon les disciplines. L'enfant exige beaucoup matériellement.

Avec enfant ou adolescent Gémeaux: Relation basée sur les facultés intellectuelles et l'amour du foyer. Danger pour les parents de se faire *acheter* par les enfants.

Avec enfant ou adolescent Cancer: Relation dans laquelle le sentiment maternel domine. Relation de paix et d'amour.

Avec enfant ou adolescent Lion: Relation dans laquelle on n'accepte pas la désobéissance. Cet enfant est très conscient de ce qu'il vaut. L'autorité est très naturelle dans cette relation.

Avec enfant ou adolescent Vierge: Relation dans laquelle la rigueur et la discipline sont très importantes. Danger de croire que, si tout va bien sur le plan matériel, tout ira bien sur les autres plans.

Avec enfant ou adolescent Balance: Relation dans laquelle la sensibilité est importante. Possibilité de découvrir des talents artistiques chez les enfants et les adolescents.

Avec enfant ou adolescent Scorpion: Relation dans laquelle il y a risque de possessivité de la part du parent ou éducateur. Risque d'amour trop passionnel qui peut étouffer l'enfant au moment de l'adolescence.

Avec enfant ou adolescent Sagittaire: Relation où le don de soi est naturel. Cet enfant n'est heureux que dans une forme d'idéal tendant à la réalisation des choses les plus difficiles.

Avec enfant ou adolescent Capricorne: Relation dans laquelle intervient une trop grande rigueur morale. Possibilité d'aller très loin dans la compréhension mutuelle, mais à condition que tout s'explique d'une manière logique. Sinon, l'enfant ou l'adolescent ne prend rien au sérieux.

Avec enfant ou adolescent Verseau: Relation dans laquelle il est possible de vivre sur le plan matériel et spirituel des choses intéressantes tout en les dépassant. Relation complémentaire au niveau intellectuel.

Avec enfant ou adolescent Poissons: Relation où l'on est porté à pardonner trop facilement. Eviter de surprotéger l'enfant, car cela risquerait de l'écraser psychiquement.

Parent Gémeaux

Sa force: Son intelligence.

Sa faiblesse: Penser que les choses s'arrangent d'elles-mêmes.

Ce qu'il attend le plus de l'enfant: Qu'il soit presque adulte à l'adolescence.

Ce qu'il redoute le plus de l'enfant: Un développement mental retardé.

Ce qu'il doit développer pour être un meilleur parent: Le sens du concret.

Ce qu'il doit éviter: De tout rapporter à la vie mentale.

Relation d'un parent ou d'un éducateur Gémeaux

Avec enfant ou adolescent Bélier: Relation idéale pour la compréhension, l'amitié, les projets. Stimule énormément l'intelligence de l'enfant et de l'adolescent.

Avec enfant ou adolescent Taureau: Relation qui apprend à l'enfant ou à l'adolescent à se débrouiller seul matériellement. Relation qui lui donne la capacité de se placer lui-même au centre de sa propre vie.

Avec enfant ou adolescent Gémeaux: Relation idéale pour l'univers de l'adolescent à condition qu'il n'y ait pas d'autoritarisme à la maison. Relation affective très bonne.

Avec enfant ou adolescent Cancer: Relation de compréhension et d'humanisme en tout. Danger de dépendance affective.

Avec enfant ou adolescent Lion: Relation qui permet d'éveiller l'enfant au niveau intellectuel et de lui apprendre à raisonner par lui-même et à être toujours digne.

Avec enfant ou adolescent Vierge: Relation dans laquelle il faut éviter de torturer l'enfant en lui demandant trop de détails sur les raisons de son comportement. Cependant, relation très bonne au niveau du développement de l'intelligence active.

Avec enfant ou adolescent Balance: Relation qui est dépassée par la logique réfléchie au niveau de l'affectivité. Grande évasion dans le domaine de la vie mentale.

Avec enfant ou adolescent Scorpion: Relation dans laquelle le parent risque de pousser l'enfant jusqu'à ses dernières limites. Sentiment très aigu du moment présent.

Avec enfant ou adolescent Sagittaire: Relation qui demande beaucoup intérieurement. Besoin d'aller très loin dans l'évolution personnelle.

Avec enfant ou adolescent Capricorne: Relation qui sait allier le sens des responsabilités à un certain humour. Intelligence dans l'éducation.

Avec enfant ou adolescent Verseau: Relation dans laquelle on laisse passer beaucoup sous prétexte que la liberté est une chose sacrée. Rapports harmonieux avec les enfants.

Avec enfant ou adolescent Poissons: Relation dans laquelle on respecte la liberté de chacun, conscient de ce que ce respect peut apporter. Cependant, il faut se dire qu'à l'extérieur, les gens ne seront pas toujours aussi compréhensifs.

Parent Cancer

Sa force: Son amour incommensurable.

Sa faiblesse: Ce même amour.

Ce qu'il attend le plus de l'enfant: Une communication affective.

Ce qu'il redoute le plus de l'enfant: L'agression.

Ce qu'il doit développer pour être un meilleur parent: Une certaine forme d'autorité qui manque au départ.

Ce qu'il doit éviter: Une trop grande mollesse et la surprotection.

Relation d'un parent ou d'un éducateur Cancer

Avec enfant ou adolescent Bélier: Relation où la présence au foyer est primordiale. Satisfaction morale très grande dans le domaine de l'éducation.

Avec enfant ou adolescent Taureau: Relation dans laquelle le sentiment de la responsabilité maternelle est très fort et où la nourriture matérielle et morale du foyer est très importante. Amour partagé.

Avec enfant ou adolescent Gémeaux: Relation dans laquelle la crainte de voir les enfants devenir des adultes s'installe trop facilement. Danger de fuite morale devant cette crainte.

Avec enfant ou adolescent Cancer: Relation dans laquelle l'instinct maternel peut être très développé et peut même entraver la liberté de l'enfant.

Avec enfant ou adolescent Lion: Relation dans laquelle on accorde une grande importance aux forces et aux faiblesses des autres. La dignité est essentielle.

Avec enfant ou adolescent Vierge: Relation dans laquelle la moindre chose est importante, où le moindre détail devient alarmant. La vie peut devenir impossible si cela n'est pas contrôlé.

Avec enfant ou adolescent Balance: Relation dans laquelle il y a besoin d'une forme d'autorité mêlée à de l'intelligence et de l'amour. Cependant, le stade de la petite enfance doit être dépassé rapidement.

Avec enfant ou adolescent Scorpion: Relation dans laquelle l'harmonie est très valable au niveau de l'éducation intérieure et morale, mais celle-ci doit être très ouverte sur le monde.

Avec enfant ou adolescent Sagittaire: Relation dans laquelle il faut viser une forme d'idéal et de dépassement, sinon on a l'impression que l'éducation a été ratée.

Avec enfant ou adolescent Capricorne: On passe parfois d'un grand amour à une certaine froideur dans cette relation. Tout est axé sur l'essentiel de l'existence.

Avec enfant ou adolescent Verseau: Relation dans laquelle la sensibilité nerveuse joue beaucoup. Sentiment de liberté et d'appartenance en même temps.

Avec enfant ou adolescent Poissons: Relation dans laquelle la sensibilité est primordiale en ce qui concerne la vie intérieure. C'est l'émotivité qui décide de tout.

Parent Lion

Sa force: Son besoin de dignité.

Sa faiblesse: Demander trop tôt à l'enfant d'être parfait.

Ce qu'il attend le plus de l'enfant: Un développement rapide sur tous les plans.

Ce qu'il redoute le plus de l'enfant: L'indifférence, le manque d'enthousiasme.

Ce qu'il doit développer pour être un meilleur parent: Un certain sens humanitaire, car souvent le parent Lion aime d'une façon conditionnelle, c'est-à-dire dans la mesure où l'enfant satisfait son orgueil.

Ce qu'il doit éviter: De trop grandes exigences morales qui, à la longue, lassent l'enfant de bien faire car il se dit que quoi qu'il fasse, on ne sait pas l'apprécier.

Relation d'un parent ou d'un éducateur Lion

Avec enfant ou adolescent Bélier: Education saine, relation franche qui n'admet pas le mensonge et va directement au but. Relation stimulante pour l'intelligence et la vie émotive de l'enfant et de l'adolescent.

Avec enfant ou adolescent Taureau: Relation dans laquelle la maison et la beauté des choses sont très importantes. Ce parent ne veut faire vivre l'enfant que dans une forme d'idéalisme matériel.

Avec enfant ou adolescent Gémeaux: Relation qui accorde une grande importance à l'intelligence de l'enfant et à la vie en groupe.

Avec enfant ou adolescent Cancer: Relation dans laquelle un grand sentiment de soi-même comme chef de famille ou éducateur est primordial. On demande dans la mesure où l'on donne.

Avec enfant ou adolescent Lion: Relation du tout ou rien. C'est un amour qui embrase tout. Cependant, danger pour les enfants ou les adolescents de ne pas grandir vite moralement car ils ont peur de ne jamais atteindre le modèle qu'on leur fixe.

Avec enfant ou adolescent Vierge: Grande existence mentale. Besoin d'aller très loin, de donner beaucoup à l'enfant, mais celui-ci peut se lasser de demandes trop répétitives dans cette relation.

Avec enfant ou adolescent Balance: Relation dans laquelle le sentiment de l'esthétique est très poussé. Besoin d'apprendre à l'enfant et à l'adolescent l'équilibre des choses et de la vie.

Avec enfant ou adolescent Scorpion: Relation dans laquelle l'amour est passionnel. On veut tout donner à l'enfant et à l'adolescent. Exigences morales très grandes et besoin d'une certaine forme d'autorité et de force.

Avec enfant ou adolescent Sagittaire: Relation dans laquelle on a un grand besoin de donner une vision intérieure de la vie à l'enfant. Celui-ci veut apprendre à aller très loin par lui-même.

Avec enfant ou adolescent Capricorne: Relation qui apprend la possibilité de s'élever au-delà de soi-même ans tout. Forme d'autorité sèche.

Avec enfant ou adolescent Verseau: Relation dans laquelle l'éducateur veut laisser son empreinte, mais veut laisser, en même temps, l'enfant le dépasser. Passage de la dépendance à l'indépendance.

Avec enfant ou adolescent Poissons: La réussite de la vie psychique est capitale dans cette relation. Danger de dépendance mutuelle.

Parent Vierge

Sa force: Son intelligence analytique à laquelle rien n'échappe.

Sa faiblesse: Sa peur de se laisser dominer par les sentiments.

Ce qu'il attend le plus de l'enfant: Qu'il devienne autonome et qu'il n'ait pas à souffrir d'une forme de dépendance dans la vie.

Ce qu'il redoute le plus de l'enfant: Qu'il soit trop sentimental et se laisse subjuguer par les autres.

Ce qu'il doit développer pour être un meilleur parent: Un certain sens de la spontanéité, car la Vierge analyse tout et l'enfant peut prendre ce manque de spontanéité pour de la froideur à son endroit.

Ce qu'il doit éviter: Se torturer mentalement à vouloir comprendre les actes des gens qui sont sous sa protection.

Relation d'un parent ou d'un éducateur Vierge

Avec enfant ou adolescent Bélier: Relation dans laquelle le sentiment du devoir est très prononcé. Besoin d'être toujours parfait. On se torture les méninges inutilement.

Avec enfant ou adolescent Taureau: Relation dans laquelle existe un très grand besoin d'aller au-delà de soi-même dans tout. Sentiment très fort de l'amour, dans des manifestations très concrètes. L'amour se prouve.

Avec enfant ou adolescent Gémeaux: Relation dans laquelle on a la possibilité de tout analyser intelligemment et de concrétiser les désirs.

Avec enfant ou adolescent Cancer: Relation dans laquelle existe un sentiment très aigu de l'amour et de l'affection. Ce parent a besoin à tout prix que ceux qu'il aime soient sous sa dépendance. Risque pour l'enfant et l'adolescent d'avoir du mal à acquérir leur autonomie.

Avec enfant ou adolescent Lion: Relation qui demande une grande sécurité matérielle et morale. Sens de la dignité très fort.

Avec enfant ou adolescent Vierge: Relation dans laquelle la peur de la maladie et de la souffrance est très néfaste. La surprotection qui fatigue.

Avec enfant ou adolescent Balance: Relation très bonne pour l'éducation esthétique, mais souvent le parent sera dominé par l'enfant. Passage de la haute intelligence à la haute sensibilité.

Avec enfant ou adolescent Scorpion: Relation dans laquelle existe un sentiment très aigu de la vie et de la mort, de la sexualité, de la gravité de l'existence. Education en fonction de cette gravité.

Avec enfant ou adolescent Sagittaire: Relation dans laquelle priment l'idéal et le don de soi. Importance de l'affection.

Avec enfant ou adolescent Capricorne: Très grande rigueur morale dans cette relation, mais danger de manquer de fantaisie. Possibilité de créer un idéal très beau mais aussi presque impossible à atteindre.

Avec enfant ou adolescent Verseau: Relation dans laquelle on peut passer facilement de l'autorité à la mollesse. Peur et risque en même temps en ce qui concerne l'indépendance.

Avec enfant ou adolescent Poissons: Relation dans laquelle existe un besoin de donner un sens intérieur et religieux à l'existence. Sentiment très fort de la responsabilité morale. On s'interroge beaucoup sur la vie psychique.

Parent Balance

Sa force: Sa grande compréhension.

Sa faiblesse: Un trop grand esprit de nuance par lequel on passe outre à trop de choses.

Ce qu'il attend le plus de l'enfant: Un rapport esthétique et éthique sur le plan humanitaire.

Ce qu'il redoute le plus de l'enfant: La vulgarité et l'incompréhension.

Ce qu'il doit développer pour être un meilleur parent: Une forme d'autorité qui lui manque.

Ce qu'il doit éviter: Une trop grande complaisance.

Relation d'un parent ou d'un éducateur Balance

Avec enfant ou adolescent Bélier: Relation dirigée vers l'amour et la compréhension. Sentiment de l'autorité seulement si c'est nécessaire.

Avec enfant ou adolescent Taureau: On accorde une très grande importance à la santé et au travail de l'enfant. On veut que l'enfant sache très jeune se diriger dans la vie.

Avec enfant ou adolescent Gémeaux: Relation où on accorde une très grande importance à l'amour et au développement de l'intelligence. En dehors de cela, tout est futilité.

Avec enfant ou adolescent Cancer: Relation dans laquelle le bonheur au foyer est nécessaire. Besoin que les choses se classent d'elles-mêmes.

Avec enfant ou adolescent Lion: Relation dans laquelle on a un sentiment très fort de l'amour et de la tendresse. Besoin de donner une éducation rayonnante.

Avec enfant ou adolescent Vierge: Relation dans laquelle l'enfant reçoit beaucoup au niveau de l'intelligence affective. Tout est basé uniquement sur une forme subtile de l'intelligence.

Avec enfant ou adolescent Balance: Relation dans laquelle il y a danger de se faire dominer par l'enfant ou d'être trop facilement enclin à céder à ses caprices. Manque d'autorité.

Avec enfant ou adolescent Scorpion: Relation dans laquelle on accorde une très grande importance à l'émotion et aux liens sociaux. Sentiment très poussé de l'amour sous toutes ses formes.

Avec enfant ou adolescent Sagittaire: Relation dans laquelle le don de soi est essentiel. Relation où on ne veut que le bien de l'enfant et où on désire qu'il fasse quelque chose de digne et de grand de son existence.

Avec enfant ou adolescent Capricorne: Relation dans laquelle on accorde beaucoup d'importance à l'avenir de l'enfant. C'est uniquement là-dessus qu'est basée l'éducation.

Avec enfant ou adolescent Verseau: Relation dans laquelle l'amitié, la fraternité, l'égalité jouent beaucoup. L'éducation entière est basée sur ces valeurs.

Avec enfant ou adolescent Poissons: Relation dans laquelle on passe trop vite d'une grande compréhension à une trop grande mollesse. Compréhension qui peut mener jusqu'à la stupidité.

Parent Scorpion

Sa force: Son sens de la durée des choses.

Sa faiblesse: Son manque de réalisme dans la vie quotidienne.

Ce qu'il attend le plus de l'enfant: Un amour au-delà de la mort.

Ce qu'il redoute le plus de l'enfant: La superficialité.

Ce qu'il doit développer pour être un meilleur parent: La conscience qu'il est en face d'un être en voie d'évolution, qui ne peut pas tout savoir d'un seul coup.

Ce qu'il doit éviter: Une certaine forme de possession psychique abusive.

Relation d'un parent ou d'un éducateur Scorpion

Avec enfant ou adolescent Bélier: Relation dans laquelle l'autorité naturelle joue beaucoup. Tout s'impose seulement par la force intérieure.

Avec enfant ou adolescent Taureau: Relation dans laquelle l'amour joue un grand rôle, mais danger de tyrannie affective.

Avec enfant ou adolescent Gémeaux: Relation dans laquelle s'exerce une force de caractère incroyable et où on a un sentiment très aigu de l'autonomie intérieure. On pousse l'enfant à être lui-même très jeune.

Avec enfant ou adolescent Cancer: Relation favorable au développement des dons artistiques et de la sensibilité.

Avec enfant ou adolescent Lion: Relation qui prend une grande part de la vie du parent ou de l'éducateur, qui voudrait imposer ses méthodes au monde entier. Sentiment que tout ce qui est fait produit un résultat.

Avec enfant ou adolescent Vierge: Relation où on passe par des colères et des exigences froides, mais où en même temps on veut le bien de l'enfant et où souvent, sans le faire exprès, on se sent un peu mal moralement.

Avec enfant ou adolescent Balance: Relation dans laquelle tout est sérieux. L'éthique est importante. On ne tolère d'aucune façon que les choses soient mal comprises intérieurement. Sens de la responsabilité à long terme.

Avec enfant ou adolescent Scorpion: Relation dans laquelle tout est abordé en fonction de la vie, de la mort et de l'éternité. Éducateur qui laisse une empreinte profonde sur tous les êtres qu'il a à éduquer.

Avec enfant ou adolescent Sagittaire: Relation dans laquelle il faut prendre garde à un certain sens du drame, car on risque d'apprendre à l'enfant à tout voir en noir. On peut apporter aussi une grande autonomie intérieure par la compréhension de la souffrance.

Avec enfant ou adolescent Capricorne: Relation dans laquelle on ne lésine en rien. L'enfant doit devenir un adulte conscient.

Avec enfant ou adolescent Verseau: Relation dans laquelle rien ne passe inaperçu. On ne tolère pas l'indifférence.

Avec enfant ou adolescent Poissons: Relation excellente pour l'éducation morale, psychique, religieuse, mais très mauvaise dans le concret, car on manque d'un certain sens des réalités matérielles.

Parent Sagittaire

Sa force: Son idéal.

Sa faiblesse: Son manque de concrétisation, car tout se passe d'une façon trop idéalisée.

Ce qu'il attend le plus de l'enfant: Une communication morale à vie.

Ce qu'il redoute le plus de l'enfant: L'insouciance face aux réalités morales et psychiques de la vie.

Ce qu'il doit développer pour être un meilleur parent: Tout étant excès chez le parent ou éducateur Sagittaire, ce qu'il lui reste à développer, c'est la maîtrise de ses excès.

Ce qu'il doit éviter: D'aller trop vite, sans laisser à l'enfant le temps d'assimiler.

Relation d'un parent ou d'un éducateur Sagittaire

Avec enfant ou adolescent Bélier: Relation excellente. Ouverture et franchise. La fausseté, le mensonge et la malhonnêteté ne sont pas tolérés.

Avec enfant ou adolescent Taureau: Relation dans laquelle existe un équilibre entre l'idéal et les choses concrètes. Sentiment très fort de l'amour et de la mort. On apprend à l'enfant à être très autonome.

Avec enfant ou adolescent Gémeaux: Relation dans laquelle la conscience de soi-même et de tout ce qu'on a à faire comme éducateur ou parent est très importante. Relation excellente pour la jeunesse de coeur éternelle.

Avec enfant ou adolescent Cancer: Relation dans laquelle on inculque très tôt à l'enfant le sens de la générosité, une certaine éthique et l'amour de la nature.

Avec enfant ou adolescent Lion: Relation excellente pour apprendre à l'enfant l'amour et le respect. Cet amour peut devenir englobant et même dépasser la mesure car c'est la grande passion de l'éducation qui habite ces êtres au contact des enfants et des adolescents.

Avec enfant ou adolescent Vierge: Relation dans laquelle la compréhension et la force de caractère sont importantes. On veut inculquer à l'enfant une force morale et mentale très grande mais celui-ci peut facilement se sentir écrasé.

Avec enfant ou adolescent Balance: Relation dans laquelle l'autonomie et le sens esthétique sont importants. L'enfant se sent à l'aise dans ce genre de relation et il est heureux à condition qu'aucun fanatisme n'intervienne.

Avec enfant ou adolescent Scorpion: Relation dans laquelle la force de caractère joue un grand rôle. On ne tolère rien de ce qui ne correspond pas à une élévation morale.

Avec enfant ou adolescent Sagittaire: Relation dans laquelle la passion de la découverte joue beaucoup. L'enfant ou l'adolescent est satisfait si on le laisse libre mentalement.

Avec enfant ou adolescent Capricorne: Relation dans laquelle il y a un certain repliement intérieur, la peur de ne pas être compris et de ne pas être assez aimé. L'un et l'autre ont le sentiment de la limite des choses.

Avec enfant ou adolescent Verseau: Relation où tout doit se faire avec probité. On apprend très vite à l'enfant qu'il est responsable de sa vie. Autonomie intérieure et religieuse.

Avec enfant ou adolescent Poissons: Relation dans laquelle intervient l'idéal professionnel et moral pour le futur de l'enfant ou de l'adolescent. On donne à l'enfant ou à l'adolescent le sens du rôle qu'il aura à jouer plus tard dans la vie.

Parent Capricorne

Sa force: Son autorité intérieure.

Sa faiblesse: Sa peur des sentiments.

Ce qu'il attend le plus de l'enfant: La rectitude morale.

Ce qu'il redoute le plus de l'enfant: L'insouciance.

Ce qu'il doit développer pour être un meilleur parent: Un certain sens des nuances.

Ce qu'il doit éviter: L'autoritarisme moral qui l'empêche de respecter les libres décisions des êtres.

Relation d'un parent ou d'un éducateur Capricorne

Avec enfant ou adolescent Bélier: Relation dans laquelle l'autorité naturelle est très forte. Force de caractère, besoin d'aller loin dans tout, mais à condition que la franchise soit constante. Sinon, rien ne va.

Avec enfant ou adolescent Taureau: Relation où le moi intérieur prédomine, même dans les réalisations concrètes. Concrétisation de l'impossible.

Avec enfant ou adolescent Gémeaux: Relation qui sait allier la sagesse et l'autorité. Finesse d'esprit. Tout peut se comprendre.

Avec enfant ou adolescent Cancer: Relation dans laquelle on a un sentiment très fort de la nature intrinsèque des choses. On est à l'écoute de l'univers. Sentiment du silence.

Avec enfant ou adolescent Lion: Relation dans laquelle la force de caractère est exceptionnelle. On peut arriver à réussir l'impossible. Capacité de réveiller l'intelligence et l'amour là où tout est fermé.

Avec enfant ou adolescent Vierge: Relation dans laquelle on a la capacité d'oeuvrer dans le silence et de faire des merveilles dans des situations très difficiles.

Avec enfant ou adolescent Balance: Relation qui peut passer de l'autorité à la faiblesse, de l'autonomie à la dépendance, mais sans que cela engendre des problèmes vraiment sérieux.

Avec enfant ou adolescent Scorpion: Relation qui demande beaucoup de la part de l'éducateur ou du parent, mais qui peut donner beaucoup à longue échéance.

Avec enfant ou adolescent Sagittaire: Relation où l'enfant apprend très rapidement à être libre matériellement. Aucune forme de dépendance. On sait allier le concret à l'abstrait.

Avec enfant ou adolescent Capricorne: Relation qui peut être trop réaliste ou trop sévère. Il faut donner beaucoup d'affection et de tendresse.

Avec enfant ou adolescent Verseau: Relation qui demande avant tout une compréhension morale et intelligente des événements. On ne tolère pas le laisser-aller.

Avec enfant ou adolescent Poissons: Relation qui passe par des périodes d'amitié et de confidences pour ensuite aller vers la vie psychique et intérieure.

Parent Verseau

Sa force: Son sens de l'universel.

Sa faiblesse: Rechercher l'amitié d'une façon trop inconditionnelle.

Ce qu'il attend le plus de l'enfant: Une relation amicale au-delà de tout.

Ce qu'il redoute le plus de l'enfant: Que ce dernier l'oblige à être autoritaire.

Ce qu'il doit développer pour être un meilleur parent: Une certaine autorité qui lui manque.

Ce qu'il doit éviter: Le laisser-aller sous prétexte d'évolution; il confond trop souvent la liberté et la permissivité.

Relation d'un parent ou d'un éducateur Verseau

Avec enfant ou adolescent Bélier: Relation dans laquelle les rapports sont essentiellement intelligents.

Avec enfant ou adolescent Taureau: Relation dans laquelle on sait apprendre à faire le bien, même dans les pires conditions.

Avec enfant ou adolescent Gémeaux: Très grande entente. Grande souplesse d'esprit commune aux deux signes. Résultats très positifs.

Avec enfant ou adolescent Cancer: Relation où l'amour et l'affection imprègnent tout. Grande intelligence du moment présent.

Avec enfant ou adolescent Lion: Relation dans laquelle il y a possibilité d'aller très loin dans la compréhension des êtres et des choses. On demande beaucoup mais on laisse les autres libres.

Avec enfant ou adolescent Vierge: Relation dans laquelle il y a possibilité d'alterner entre une grande dépendance et une grande autonomie. On a le souci des détails.

Avec enfant ou adolescent Balance: Relation dans laquelle existe le sens de la perfection. Relation qui laisse beaucoup de liberté et ne veut d'aucune façon s'imposer au-delà de l'adolescence.

Avec enfant ou adolescent Scorpion: Ici, l'amour est passionnel. Tendance à dramatiser.

Avec enfant ou adolescent Sagittaire: Relation profonde au niveau de la vie morale et psychique. Besoin de donner un sens immortel à tout ce qui se fait.

Avec enfant ou adolescent Capricorne: Relation où toutes les formes d'amour sont possibles. Respect de la liberté mais danger d'une trop grande permissivité.

Avec enfant ou adolescent Verseau: Relation dans laquelle on peut, au niveau éducatif, aller très loin dans la découverte et la compréhension du monde. Autonomie.

Avec enfant ou adolescent Poissons: Relation très profonde au niveau de la compréhension mutuelle. Danger de mollesse morale.

Parent Poissons

Sa force: Son intuition.

Sa faiblesse: Sa trop grande compréhension.

Ce qu'il attend le plus de l'enfant: La compréhension intuitive.

Ce qu'il redoute le plus de l'enfant: Une négation de la réalité spirituelle et un attachement exclusif aux choses matérielles.

Ce qu'il doit développer pour être un meilleur parent: Le sens du concret.

Ce qu'il doit éviter: Une trop grande compassion et une trop grande compréhension.

Relation d'un parent ou d'un éducateur Poissons

Avec enfant ou adolescent Bélier: Relation dans laquelle la force de caractère du Bélier peut en imposer un peu trop au parent ou éducateur Poissons. Capacité de donner à l'enfant très tôt le sentiment qu'il est le propre maître de sa vie.

Avec enfant ou adolescent Taureau: Relation dans laquelle la vie matérielle et la vie spirituelle s'opposent. Besoin de faire l'équilibre entre les deux.

Avec enfant ou adolescent Gémeaux: Relation dans laquelle le parent ou l'éducateur se torture souvent inutilement au niveau moral. Besoin d'avoir trop souvent raison.

Avec enfant ou adolescent Cancer: Excellente relation. Grande entente au niveau des sentiments et des émotions.Elévation morale.

Avec enfant ou adolescent Lion: Relation dans laquelle existe un sens profond des responsabilités, et toujours dans l'affection. Besoin d'idéaliser.

Avec enfant ou adolescent Vierge: Relation qui passe par des états d'exigence et des états d'incompréhension. On est toujours sur la corde raide. Tendance à se culpabiliser.

Avec enfant ou adolescent Balance: Dans cette relation, on peut comprendre énormément les choses et donner une grande valeur à tout ce qui est enseigné. Relation dans laquelle l'enfant et l'adolescent reçoivent beaucoup d'amour.

Avec enfant ou adolescent Scorpion: Relation idéale pour l'épanouissement affectif de l'enfant et de l'adolescent. Amour qui englobe tout.

Avec enfant ou adolescent Sagittaire: Relation permettant un grand rayonnement intérieur qui dépasse tout. La liberté est toujours respectée.
Avec enfant ou adolescent Capricorne: Relation dans laquelle l'autorité et l'exigence sont des formes d'amour. On ne tolère rien qui ne soit valable spirituellement.
Avec enfant ou adolescent Verseau: Relation où on peut parfaitement apprendre à l'enfant à se débrouiller matériellement et moralement et à comprendre les liens qui unissent les êtres. Relation d'indépendance.
Avec enfant ou adolescent Poissons: Relation dans laquelle la compassion et l'amour jouent beaucoup, mais aussi l'incertitude face au monde matériel. Relation insécurisante dans le monde visible, mais intéressante au niveau spirituel.

Comme vous le voyez, le rapport enfant/parent est très complexe. Vous pouvez, d'après les données qui précèdent, voir quelle sorte de parent et quelle sorte d'éducateur vous êtes. En comparant le signe de votre enfant avec le vôtre, vous comprendrez mieux ce que vous pouvez lui apporter et ce qu'il faut éviter dans son éducation. En dernier lieu, nous analyserons les dominantes planétaires pour les enfants et les adolescents ainsi que pour les parents.

Les formes d'éducation selon les signes
L'éducation Bélier la vitesse, la franchise et le résultat immédiat.
L'éducation Taureau est basée sur l'épreuve concrète et l'instinct de protection.
L'éducation Gémeaux est dominée par la parole et l'intelligence.
L'éducation Cancer se réfère à la protection et au développement de ce qui est petit.
L'éducation Lion passe par l'exigence et la fermeté.
L'éducation Vierge demande la propreté et l'hygiène intérieure.
L'éducation Balance exige l'harmonie et la compréhension mutuelle.
L'éducation Scorpion est basée sur la voix intérieure et lui obéit toujours.
L'éducation Sagittaire s'appuie sur l'honneur et a peur du jugement d'autrui.
L'éducation Capricorne fait appel à la discipline et au silence.
L'éducation Verseau a besoin d'exaltation continuelle et d'intelligence dans les rapports humains.
L'éducation Poissons est basée sur la compréhension intérieure et l'analyse des états d'âme.

Les formes d'éducation selon les planètes
L'éducation solaire passe par la dignité, la force et le développement de la personnalité. L'autorité est importante, mais elle ne donne des bons résultats que si elle n'est pas trop castratrice.
L'éducation lunaire passe par les sentiments; elle est surtout axée sur les sentiments des femmes et sur leur émotivité. C'est une éducation très permissive, mais aussi très chaleureuse. Son seul danger: la surprotection.
L'éducation mercurienne passe essentiellement par l'intelligence et fait appel à la tête avant de faire appel au coeur. Elle active l'esprit, mais peut tomber dans le calcul.

L'éducation vénusienne fait appel essentiellement aux sentiments et apprend à développer le charme, la beauté, mais ne forme pas un caractère fort pour la vie future.

L'éducation martienne est basée sur la domination de soi-même et ne tolère aucune emprise des sentiments sur les décisions. Elle est castratrice au niveau de l'émotivité.

L'éducation jupitérienne est basée sur la générosité et aussi sur le développement de ce qu'il y a de meilleur dans celui qui la reçoit. C'est une éducation qui parle beaucoup de lois sociales ou humanitaires.

L'éducation saturnienne est essentiellement basée sur le respect du passé et aussi sur le besoin de donner à l'enfant ou à l'adolescent qui la reçoit une forme de contrôle de lui-même en toute occasion. C'est une éducation qui néglige les sentiments.

L'éducation uranienne est basée sur le respect, la fierté de l'enfant ou de l'adolescent. Elle lui permet de s'épanouir intérieurement, avec beaucoup de liberté. Il ne faut pas la confondre avec le laisser-aller, même si elle peut parfois lui ressembler.

L'éducation neptunienne passe par la compréhension intuitive des états d'âme de l'enfant ou de l'adolescent. Elle encourage les dons artistiques mais manque d'une forme d'autorité naturelle.

L'éducation plutonienne est une éducation qui donne directement une notion du bien et du mal dans des concepts personnels. Elle est intransigeante et extrémiste. C'est une éducation qui fait des êtres très forts ou qui les brise.

Maintenant, en tant que parent ou éducateur, vous savez vers quelle sorte d'éducation vous tendez et les pages qui suivent vous expliquent aussi, selon la dominante planétaire de votre enfant ou de votre adolescent, quelle sorte de réaction il a à chacune des formes d'éducation.

Les dominantes planétaires

En astrologie, il y a les planètes, les signes, les maisons et les aspects. Nous avons chacun notre signe et notre signe ascendant (par exemple: Bélier ascendant Taureau) mais nous avons aussi notre dominante planétaire. Je vais vous expliquer ici les caractéristiques de chaque dominante planétaire et vous verrez laquelle correspond le mieux à votre enfant. Alors, quand vous aurez compris ce chapitre, vous pourrez dire, par exemple:

mon fils est Bélier ascendant Taureau, dominante Mars ou **dominante Vénus** selon ce qui ressort de son caractère et de sa force. On peut avoir deux dominantes, par exemple: dominante Vénus-Lune, comme on est Bélier ascendant Taureau. Je donne ici les caractéristiques principales de chaque dominante en elle-même; mais ensuite, nous aurons, si une autre planète vient s'y greffer par influence, une double dominante.

Caractéristiques de l'enfant à dominante:
Soleil

L'essentiel de sa vie est le rayonnement. Ses rapports humains sont basés sur la franchise. Sa forme d'apprentissage de la vie est la confiance. Sa forme de pensée est orientée vers la croissance. Il est blessé facilement par la froideur. Ses besoins émotifs sont exaltants. Besoin d'un rapport idéaliste avec son père. Il observe énormément sa mère au niveau psychique. Son sens de la liberté est inné et se manifeste très tôt.

A faire pour l'aider: le laisser être lui-même.

A éviter: les humiliations. L'enfant et l'adolescent à dominante Soleil ont besoin d'une éducation qui développe la générosité et l'amour et qui ne les castre d'aucune façon. Ils réagissent très bien à l'éducation solaire et à l'éducation martienne, qui développent leur force, se sentent maîtres avec l'éducation lunaire parce qu'elle est très compréhensive, se sentent intelligents avec l'éducation mercurienne parce qu'elle les stimule, se sentent aimés avec l'éducation vénusienne parce qu'elle les gâte, sont exaltés par l'éducation jupitérienne, s'accommodent mal de l'éducation saturnienne car ils ont l'impression qu'elle les limite, adorent l'éducation uranienne car elle leur apprend le dépassement, sont heureux avec l'éducation neptunienne car elle les élève, mais ne respectent en profondeur que l'éducation plutonienne car elle leur apprend qu'au-delà d'eux-mêmes et de leur monde visible, il y a un monde qu'ils ne peuvent atteindre que par l'intériorité.

Lune

L'essentiel de sa vie est la réalité intérieure. Ses rapports humains sont basés sur la sensation. Sa forme d'apprentissage est le changement. Sa forme de pensée est orientée vers la fantaisie. Il est blessé facilement par la rigidité. Ses besoins émotifs sont immenses. Il craint facilement son père. Il demande trop émotivement à sa mère. Son sens de la liberté est avant tout intérieur et hésitant.

A faire pour l'aider: lui donner beaucoup d'affection.

A éviter: le comparer. L'enfant et l'adolescent à dominante Lune réagissent très bien à l'éducation solaire à condition de ne pas trop se sentir dominés, s'enlisent dans l'éducation lunaire parce qu'elle est trop facile, adorent l'éducation mercurienne parce qu'elle développe leur intelligence, se complaisent dans l'éducation vénusienne car elle ne leur crée aucune difficulté, ont peur de l'éducation martienne qui les oblige à agir, aiment l'éducation jupitérienne, qui les met en vedette par sa générosité, ont peur de l'éducation saturnienne qui les limite par sa rigueur, sont heureux avec l'éducation uranienne car elle respecte leur liberté et leur fantaisie, se perdent dans l'éducation neptunienne car elle ne leur demande aucun effort apparent, et sont prêts à aller loin dans l'éducation plutonienne qui leur demande d'aller au-delà des mondes. De toute façon, l'être à dominante Lune est prêt à s'adapter à tout mais peut quelquefois nous surprendre par des changements inattendus au cours de son éducation. Sa maison est essentielle; elle est son havre de paix.

Mercure

L'essentiel de sa vie est le développement mental. Ses rapports humains sont basés sur l'intelligence. Sa forme d'apprentissage est rapide et efficace. Sa forme de pensée est orientée vers les résultats comparatifs. Il est blessé facilement par la monotonie. Ses besoins émotifs sont raisonnés. Il discute beaucoup avec son père. Il croit infiniment en sa mère. Son sens de la liberté est avant tout mental.

A faire pour l'aider: lui procurer tout ce qui l'aide mentalement.

A éviter: le rabaisser au niveau intellectuel. L'enfant et l'adolescent à dominante Mercure rayonnent dans une forme d'éducation solaire qui les développe par son côté social, sont trop facilement influencés par l'éducation lunaire car elle satisfait leur fantaisie, se sentent à l'aise dans l'éducation mercurienne car elle respecte leur intelligence, sont trop capricieux avec l'éducation vénusienne qui manque d'autorité, ont horreur de l'éducation martienne car elle manque de souplesse, se sentent à l'aise avec l'éducation jupitérienne parce qu'elle les gâte, fuient l'éducation saturnienne car elle les oblige à se maîtriser, adorent l'éducation uranienne car elle les épanouit, se sentent inspirés par l'éducation neptunienne car elle les amène en dehors de leur monde logique et se taisent devant l'éducation plutonienne car ils savent qu'elle a toujours le dernier mot.

Vénus

L'essentiel de sa vie est l'amour. Ses rapports humains sont basés sur la douceur. Sa forme d'apprentissage de la vie est la tendresse. Sa forme de pensée est orientée vers la compréhension. Il est blessé facilement par l'absence sous toutes ses formes. Ses besoins émotifs sont excessifs. Il veut tout obtenir de son père par le charme. Il obéit à sa mère pour s'en faire une amie. Son sens de la liberté est souvent mitigé par un trop grand besoin de plaire.

A faire pour l'aider: l'aimer infiniment.

A éviter: calculer votre amour pour lui. Avec l'enfant et l'adolescent à dominante Vénus, tout passe essentiellement par les sentiments. Ils adorent l'éducation solaire car elle les met en valeur, aiment l'éducation lunaire car elle exerce leur émotivité, aiment aussi l'éducation mercurienne car elle leur apprend à communiquer, se sentent à l'aise dans l'éducation vénusienne car elle leur permet d'exprimer leurs sentiments, fuient l'éducation martienne car ils ne veulent pas être dominés, acceptent l'éducation jupitérienne car elle les met en valeur, ont de la difficulté avec l'éducation saturnienne même si en profondeur elle leur apporte quelque chose, sont excités par l'éducation uranienne mais elle ne les mène pas loin, aiment l'éducation neptunienne car elle les fait rêver, et sont à l'aise dans l'éducation plutonienne car elle les fait se dominer et les oblige à aller plus loin.

Mars

L'essentiel de sa vie est basé sur la victoire. Ses rapports humains sont basés sur la force. Sa forme d'apprentissage de la vie est la lutte. Sa forme de pensée est orientée vers le pouvoir. Il est blessé facilement par la lâcheté chez les autres. Ses besoins émotifs sont bruyants et omniprésents. Il se bat ouvertement avec son père au niveau moral. Il veut tout donner à sa mère et sent le besoin de la protéger. Son sens de la liberté est inné.

A faire pour l'aider: le tempérer.

A éviter: le provoquer dans les colères. L'enfant et l'adolescent à dominante Mars aiment l'éducation solaire car elle leur permet de donner de l'énergie, fuient l'éducation lunaire, qui semble trop peu rigoureuse, aiment discuter et partager avec l'éducation mercurienne car elle les exalte mentalement, ignorent l'éducation vénusienne qui leur semble trop sentimentale, se complaisent dans l'éducation martienne même s'ils en ont peur un peu, aiment l'éducation jupitérienne car elle leur apporte un développement de la personnalité, fuient l'éducation saturnienne car elle semble les castrer, aiment l'éducation uranienne car ils ont l'impression qu'elle leur apporte tout, ignorent l'éducation neptunienne car ils n'ont pas de temps à perdre pour le moment avec l'invisible, et respectent l'éducation plutonienne car elle convient à leur égocentrisme.

Jupiter

L'essentiel de sa vie est le monde concret. Ses rapports humains sont basés sur la richesse. Sa forme d'apprentissage de la vie est la comparaison. Sa forme de pensée est orientée vers la possession. Il est blessé facilement par le manque d'appréciation. Ses besoins émotifs sont changeants. Il veut être gâté par son père. Il idéalise beaucoup sa mère. Son sens de la liberté est immense, mais passe trop par le matériel.

A faire pour l'aider: lui apprendre qu'il existe plusieurs catégories d'êtres, socialement et moralement.

A éviter: le gâter. L'enfant et l'adolescent à dominante Jupiter aiment l'éducation solaire parce qu'elle les valorise, fuient l'éducation lunaire parce qu'elle est trop facile, adorent l'éducation mercurienne parce qu'elle leur donne accès à un haut degré d'intelligence, haïssent l'éducation vénusienne car ils savent qu'elle ne leur apporte rien, ont peur de l'éducation martienne parce qu'elle les oblige à se prendre en main d'une façon radicale, aiment l'éducation jupitérienne mais s'y complaisent trop car elle manque de force, aiment l'éducation saturnienne et savent qu'elle a beaucoup à leur apporter par sa force intérieure, aiment l'éducation uranienne parce qu'elle leur apprend à innover, ont du mal à comprendre l'éducation neptunienne car elle est trop complexe et ambiguë, et respectent intérieurement l'éducation plutonienne mais se disent qu'ils n'en comprendront le sens que plus tard.

Saturne

L'essentiel de sa vie est intérieur. Ses rapports humains sont basés sur la collectivité. Sa forme d'apprentissage de la vie est le calcul. Sa forme de pensée est orientée vers l'appronfondissement de tout. Il est blessé facilement par la légèreté. Ses besoins émotifs sont intérieurs. Il discute avec son père et sent toujours intérieurement le sillage de sa mère. Son sens de la liberté est restreint matériellement, mais grand intellectuellement.

A faire pour l'aider: l'ouvrir sur le monde extérieur.

A éviter: lui reprocher les détails de la vie car il prend cela trop au sérieux. L'enfant et l'adolescent à dominante Saturne sont éblouis par l'éducation solaire mais elle ne les atteint pas car elle est trop extérieure. L'éducation lunaire les gâte mais ne leur donne rien car elle manque de rigueur. L'éducation mercurienne les amène à réfléchir; c'est son but premier. L'éducation vénusienne leur fait peur car ils la jugent trop facile. L'éducation martienne excite leur sens énergétique moral mais leur fait peur par la forme d'autorité. L'éducation jupitérienne leur apprend qu'ils ne sont pas le centre du monde et elle leur est très bénéfique. L'éducation saturnienne n'est bonne qu'à long terme et les renferme trop sur eux-mêmes. L'éducation uranienne leur apprend une grande liberté intérieure dont ils ont du mal à se servir. L'éducation neptunienne les glace car la communication y est difficile pour eux. L'éducation plutonienne leur apporte quelque chose en profondeur mais crée des relations très complexes.

Uranus

L'essentiel de sa vie est de vibrer. Ses rapports humains sont basés sur la foudre intérieure. Sa forme d'apprentissage de la vie est l'expérience. Sa forme de pensée est orientée vers le devenir. Il est blessé facilement par la petitesse qu'on ne veut pas dépasser. Ses besoins émotifs sont exaltants. Il se mesure humainement à son père. Il demande tout à sa mère au niveau de la compréhension. Son sens de la liberté est inné.

A faire pour l'aider: le tempérer.

A éviter: l'encercler émotivement et le posséder. L'enfant et l'adolescent à dominante Uranus aiment l'éducation solaire car elle respecte leur moi, s'ennuient avec l'éducation lunaire qui est trop facile, s'exaltent mentalement avec l'éducation mercurienne car elle leur pose des défis, aiment l'éducation vénusienne qui comprend leurs sautes d'humeur, craignent l'éducation martienne car elle représente l'autorité, discutent l'éducation jupitérienne car elle représente la loi, fuient l'éducation saturnienne car elle représente des limites, aiment l'éducation uranienne mais ont l'impression qu'elle ne leur apprend pas tout, sont intéressés par l'éducation neptunienne car elle leur ouvre la voie à un monde psychique, et respectent intérieurement l'éducation plutonienne mais ne veulent pas se sentir dominés par elle.

Neptune

L'essentiel de sa vie est la finesse de l'âme. Ses rapports humains sont basés sur l'intention avant tout. Sa forme d'apprentissage de la vie est la connaissance par l'âme. Sa forme de pensée est orientée vers la maturité intérieure. Il est blessé facilement par la logique froide. Il a des besoins émotifs complexes. Il est gêné facilement par l'autorité paternelle. Il se fond dans l'amour maternel. Son sens de la liberté est avant tout psychique.

A faire pour l'aider: lui assurer une certaine indépendance matérielle, sinon il sombre facilement dans n'importe quoi à l'âge adulte.

A éviter: le laisser-aller. L'enfant et l'adolescent à dominante Neptune aiment l'éducation solaire car elle les met en évidence, sont mal à l'aise devant l'éducation lunaire parce qu'elle développe trop leur indolence, craignent les discussions trop concrètes dans l'éducation mercurienne, ont peur d'être pris par les sentiments dans l'éducation vénusienne, refusent de se faire dominer dans l'éducation martienne, aiment l'éducation jupitérienne car elle les oblige à sortir d'eux-mêmes, ont l'impression de tourner en rond avec l'éducation saturnienne à cause de son manque de vigueur, sont à l'aise dans l'éducation uranienne qui respecte leurs facultés psychiques, aiment l'éducation neptunienne et sont exaltés par l'éducation plutonienne car elle les oblige à aller plus loin que leur moi et leurs sensations

Pluton

L'essentiel de sa vie est le glaive. Ses rapports humains sont basés sur la connaissance de la frontière du bien et du mal. Sa forme d'apprentissage de la vie est l'essentiel en tout. Sa forme de pensée est orientée vers l'approfondissement. Il est blessé facilement par les limites qu'on lui impose. Ses besoins émotifs sont passionnés. Il affronte facilement son père. Il voit pleinement sa mère et la voudrait immortelle. Son sens de liberté passe par l'âme; c'est là seulement qu'il voit une liberté possible.

A faire pour l'aider: l'encourager dans ses besoins psychiques.

A éviter: lui demander des explications stupides au niveau matériel. L'enfant et l'adolescent à dominante Pluton aiment l'éducation solaire car elle les met en valeur, trouvent l'éducation lunaire trop peu exigeante, sont stimulés intellectuellement par l'éducation mercurienne qui les pousse au bout d'eux-mêmes, aiment l'éducation vénusienne car elle leur rappelle que l'amour est important, ont peur de l'éducation martienne mais elle les enivre par sa force, craignent un peu l'éducation jupitérienne car elle les incite à la vie sociale, ce dont ils se méfient, aiment l'éducation saturnienne car elle les invite à un recueillement, sont captivés par l'éducation uranienne à cause de la liberté qu'elle leur laisse, aiment l'éducation neptunienne car elle leur dévoile l'invisible, et respectent l'éducation plutonienne car ils s'y retrouvent dans la même essence intérieure d'exigence mentale et émotionnelle; ils savent qu'avec elle, ils ne peuvent tricher.

Difficultés physiques et psychologiques selon les dominantes planétaires

Soleil
Difficultés physiques: La tête, tout ce qui se rapporte au mouvement, à l'apparence. Souffre beaucoup d'être diminué physiquement ou moralement.

Difficultés psychologiques: Difficulté à accepter l'autorité d'où qu'elle vienne. Se veut le propre maître de sa vie.

Lune
Difficultés physiques: Tout ce qui se rapporte à l'alimentation, au lien avec la mère. Sentiment de trop grande dépendance physique et psychique.

Difficultés psychologiques: A peur de l'avenir, de manquer de sécurité.

Mercure
Difficultés physiques: Un trop grand débit de paroles et une trop grande nervosité. Développement physique irrégulier.

Difficultés psychologiques: Besoin excessif de comprendre, d'analyser par l'intelligence. Souvent s'empêche de vivre s'il ne comprend pas ce qu'il veut comprendre.

Vénus
Difficultés physiques: Une certaine indolence, une certaine insouciance. Une certaine lenteur dans le développement.

Difficultés psychologiques: Une tendance à remettre au lendemain et à croire qu'il y aura toujours sur son chemin quelqu'un pour l'aider.

Mars
Difficultés physiques: Les emportements et les colères provoquent des hausses de tension et une accélération du rythme cardiaque.

Difficultés psychologiques: A du mal à comprendre que tout dans la vie n'aille pas très vite.

Jupiter
Difficultés physiques: Tendance à l'exagération, foie sensible ou du moins complication des organes d'assimilation. Embonpoint.

Difficultés psychologiques: Besoin d'être le premier en tout et d'être vu à tout prix. Sentiment très fort de son importance.

Saturne
Difficultés physiques: Tout ce qui se rapporte au foie, à la calcification des os ainsi qu'à la dentition est très fragile.

Difficultés psychologiques: Le repliement sur soi, une incapacité de communiquer avec les autres.

Uranus

Difficultés physiques: Système nerveux très sensible, système pileux trop fort ou pas assez fort. Développement rapide du cerveau et des facultés d'assimilation.

Difficultés psychologiques: Se sent souvent très seul car il ne peut communiquer avec tout le monde ce qu'il ressent et ce qu'il désire. Originalité très forte qui fait qu'il accepte mal les êtres trop conventionnels.

Neptune

Difficultés physiques: Besoin excessif de dormir, d'être entre la réalité et le rêve.

Difficultés psychologiques: Tendance à une forme d'indolence et de désintéressement.

Pluton

Difficultés physiques: Tout ce qui se rapporte à la sexualité: ovaires et utérus chez les filles et organes génitaux chez les garçons.

Difficultés psychologiques: Ne tolère d'aucune façon le mensonge et les demi-mesures. Sentiment omniprésent de soi-même et de son importance. Surtout se fait un monde intérieur où les lois ne sont pas régies par les humains.

Quelle sorte de parent êtes-vous selon votre dominante planétaire?

Selon votre dominante planétaire, vous réagirez d'une façon complexe ou facile aux problèmes de l'éducation en tant que parent et éducateur. Voici les caractéristiques des dix dominantes planétaires; j'espère que vous vous y reconnaîtrez et que vous en tirerez quelque chose qui vous aidera à être plus heureux avec les enfants qui vous sont confiés

Parent Soleil

Sa force: son autorité naturelle.

Sa faiblesse: trop demander.

Ce qu'il attend le plus de l'enfant: qu'il soit digne et franc.

Ce qu'il redoute le plus de l'enfant: l'indolence physique et morale.

Ce qu'il doit développer pour être un meilleur parent: le sens des nuances.

Ce qu'il doit éviter: une trop grande exigence.

Parent Lune

Sa force: sa bonté.

Sa faiblesse: son inconstance.

Ce qu'il attend le plus de l'enfant: qu'il soit en bonne santé physique et morale.

Ce qu'il redoute le plus de l'enfant: la froideur.

Ce qu'il doit développer pour être un meilleur parent: le sens de l'autorité.

Ce qu'il doit éviter: trop de mollesse.

Parent Mercure

Sa force: son intelligence.

Sa faiblesse: n'accorder d'importance qu'à l'éveil mental et négliger le reste.

Ce qu'il attend le plus de l'enfant: qu'il réponde intellectuellement à ce qu'il lui donne.

Ce qu'il redoute le plus de l'enfant: qu'il soit mou intellectuellement et qu'il n'ait pas d'idéal.

Ce qu'il doit développer pour être un meilleur parent: l'affectivité.

Ce qu'il doit éviter: un trop grand calcul et un trop grand investissement intellectuel au détriment de la vie affective.

Parent Vénus

Sa force: la compréhension affective.

Sa faiblesse: un trop grand besoin d'être aimé.

Ce qu'il attend le plus de l'enfant: la franchise émotive.

Ce qu'il redoute le plus de l'enfant: un manque de besoins affectifs.

Ce qu'il doit développer pour être un meilleur parent: le sens de la beauté intérieure.

Ce qu'il doit éviter: une trop grande complaisance.

Parent Mars

Sa force: sa franchise.

Sa faiblesse: son manque de nuances.

Ce qu'il attend le plus de l'enfant: l'obéissance.

Ce qu'il redoute le plus de l'enfant: l'insouciance.

Ce qu'il doit développer pour être un meilleur parent: la douceur.

Ce qu'il doit éviter: les colères et les emportements.

Parent Jupiter

Sa force: sa générosité.

Sa faiblesse: accorder trop d'importance aux résultats visibles.

Ce qu'il attend le plus de l'enfant: la persévérance.

Ce qu'il redoute le plus de l'enfant: l'insouciance.

Ce qu'il doit développer pour être un meilleur parent: la vie spirituelle.

Ce qu'il doit éviter: blesser en comparant et en édifiant un idéal impossible à atteindre.

Parent Saturne

Sa force: son obéissance à lui-même.

Sa faiblesse: un manque de fantaisie.

Ce qu'il attend le plus de l'enfant: qu'il le suive en sachant qu'il lui donne de quoi se bâtir une existence solide.

Ce qu'il redoute le plus de l'enfant: l'inconscience à tous les niveaux.

Ce qu'il doit développer pour être un meilleur parent: le respect de la liberté des autres.

Ce qu'il doit éviter: une trop grande rigueur morale.

Parent Uranus

Sa force: son autonomie morale.

Sa faiblesse: l'impatience.

Ce qu'il attend le plus de l'enfant: une intelligence éveillée.

Ce qu'il redoute le plus de l'enfant: qu'il ne soit pas présent à lui-même.

Ce qu'il doit développer pour être un meilleur parent: la compréhension que tous les enfants ne peuvent être surdoués.

Ce qu'il doit éviter: une trop grande nervosité.

Parent Neptune

Sa force: son intuition.

Sa faiblesse: une compassion trop passive.

Ce qu'il attend le plus de l'enfant: une communication psychique.

Ce qu'il redoute le plus de l'enfant: qu'il se limite aux choses visibles et matérielles.

Ce qu'il doit développer pour être un meilleur parent: une plus grande force de volonté.

Ce qu'il doit éviter: trop de permissivité.

Parent Pluton

Sa force: la vérité.

Sa faiblesse: aimer trop passionnément.

Ce qu'il attend le plus de l'enfant: une franchise absolue.

Ce qu'il redoute le plus de l'enfant: qu'il soit tiède.

Ce qu'il doit développer pour être un meilleur parent: la compréhension que les autres ne peuvent pas tous vibrer aux mêmes choses et avec la même intensité que lui.

Ce qu'il doit éviter: un trop grand sentiment d'amour total qui peut étouffer l'enfant.

Ce que réservent les planètes

Dû au **Soleil**, les enfants vivront leur autonomie jeunes, ils seront capables de se comprendre, ils seront appelés à fréquenter des enfants d'autres races, d'autres nationalités. La terre entière s'ouvrira à une forme d'éducation nouvelle. Les enfants auront un sens aigu des responsabilités à partir de l'âge de 9 ans.

Le rapport maternel, grâce à la **Lune**, sera modifié car la société s'occupera mieux des femmes et des enfants. Tout ce qui concerne la relation de la mère et de l'enfant sera perçu sous un autre angle et tout ce qui relève de la maternité et de l'enfance occupera une place primordiale dans les préoccupations d'un gouvernement mondial futur. Tout ce qui a trait à la grossesse et à l'accouchement sera repensé et des techniques nouvelles en obstétrique, absolument inimaginables aujourd'hui, seront à l'ordre du jour dans 40 ou 50 ans sur la planète. On pourra déceler, dès le moment de la conception, le code génétique de l'enfant et, dès la prime enfance, un enfant sera orienté selon ce qu'il est, guéri s'il a des problèmes graves et suivi émotivement tout en conservant beaucoup de liberté. Mais cela n'a rien à voir avec la psychiatrie et la psychanalyse qu'on connaît aujourd'hui. C'est un autre mode de pensée.

Mercure: le développement de l'intelligence s'effectuera par des méthodes d'éducation qui conviendront à une forme d'intelligence nouvelle sur la planète. Il y aura un grand rayonnement intellectuel. Les enfants pourront très facilement apprendre deux ou trois langues et être au courant de tout ce qui se passera sur la terre. Il y aura une communication mentale et spirituelle absolument extraordinaire entre les êtres.

L'amour sera toujours l'amour, malgré les échecs. **Vénus** apportera peut-être une forme de chirurgie esthétique aux enfants qui naîtront infirmes ou avec des problèmes physiques graves. Vénus apportera aux enfants une grande liberté de mouvement. La découverte des dons artistiques dès l'enfance aura une importance énorme dans la formation future.

Tout ce que la planète **Mars** apportera à l'enfance, dans les années à venir, sera une prise de conscience d'un besoin de paix dans le monde et un désir agressif de protection. Les enfants feront des choses absolument incroyables sur cette planète face à tout ce qui touche la guerre et ses conséquences. La chirurgie des enfants accomplira des progrès énormes. On verra aussi se constituer des équipes de secours d'une très grande efficacité en cas de cataclysme et des enfants auront leur mot à dire dans ces organisations.

Les planètes lourdes

Les planètes lourdes auront une grande influence sur l'enfance dans le futur.

Jupiter apportera des oeuvres humanitaires internationales qui s'occuperont des enfants dans le besoin. Il n'y aura plus de classes sociales entre les enfants, ni de distinction de race, ni de sexe dans l'éducation.

Autant les garçons que les filles seront éduqués à comprendre et respecter et soigner la vie.

Saturne donnera une baisse de naissance due à plusieurs facteurs et que les femmes exigeront beaucoup matériellement et humainement pour améliorer leurs conditions de vie et celles de leurs enfants. Saturne fera aussi que les deux sexes se sentiront responsables de la vie qui se transmet ou alors il y aura rareté de cette vie. On ne voudra pour rien au monde, recommencer les injustices et les erreurs du passé et pour que cela ne se reproduise plus, des lois strictes, autant financières que morales seront émises.

Sous l'influence d'**Uranus**, on s'occupera davantage des enfants sousdoués et surdoués et aussi s'aboliront définitivement les inégalités de chances entre les sexes et tout ce qui touche les naissances sera sous l'influence de découvertes médicales et surtout, par rapport à un niveau de conscience différent vécu autrement. Il y aura un progrès extraordinaire en obstétrique et toutes les difficultés au moment de la naissance, autant pour la mère que pour l'enfant, seront abolies.

Sous l'influence de **Neptune**, nous verrons beaucoup d'illusions tomber et beaucoup de mensonges au niveau de l'éducation s'en aller. Il ne sera plus possible de faire faire à qui que ce soit, au nom de quoi que ce soit, quelque chose qu'on ne ferait pas soi-même.

Sous l'influence de **Pluton**, plusieurs choses qui n'ont jamais été dites seront dites enfin, et plusieurs choses que l'on croyait absolument vraies seront démenties. Les femmes obligeront les médecins à trouver des solutions à tout ce qui concerne la médecine dans leur existence. On démystifiera beaucoup la douleur et si certaines choses ne sont pas comprises à temps, les conséquences seront absolument graves. Il y aura un très grand besoin de justice sociale et humaine et ce besoin sera omniprésent. Ou bien l'humanité entière respectera la vie ou bien l'humanité entière devra accepter de s'en passer.

Le signe du Lion, signe de la création, fait face au signe du Verseau, signe de l'espace. Or, au moment où nous désirons aller très loin dans l'infini de l'espace, nous voyons de plus en plus de problèmes relatifs aux enfants. Ce n'est pas un hasard. Ces problèmes qui autrefois étaient cachés sont maintenant dévoilés et tant que nous ne les règlerons pas d'une façon efficace et universelle, l'univers de l'espace nous sera fermé. L'univers de l'espace laisse à penser que l'humain serait capable d'élévation. C'est à lui de décider, par la voix du coeur et celle de ses créations, entre autres les enfants, si cette élévation est possible. De toute façon, dans les années à venir, nous aurons à faire face à toutes ces questions d'une façon radicale. Les hommes autant que les femmes seront impliqués matériellement et moralement dans tout ce qui concerne les enfants. C'est à ce moment-là que nous serons obligés de répondre à la vraie question, devons-nous continuer d'avoir des enfants? Si oui, une révolution totale de la société s'impose ou sinon le résultat de nos actes s'imposera à nous. Une chose est certaine, plus aucun mensonge ne pourra s'infiltrer dans le coeur ni dans l'esprit sur ce qui touche la question des enfants.

L'avortement

Depuis toujours l'avortement est une question qui soulève des passions. Cependant, si la femme est impliquée plus que l'homme dans cette question, il faut voir avec lucidité que l'homme a toujours eu le droit et cela sans être pénalisé d'avorter. En ne s'occupant pas d'un être qui a à naître et de celle qui le porte, l'homme connaît un avortement moral et matériel. Depuis toujours on a toléré cet agissement car on n'a jamais estimé que cette forme d'avortement était grave. Nous aurons beaucoup à penser à cela dans les années qui viennent car cela sera au centre de plusieurs discussions. Et nous aurons aussi à comprendre que si la vie est précieuse avant la naissance, comment se fait-il qu'en temps de guerre elle doit être disposée à mourir pour une idée ou l'idéal d'un dirigeant? Si la vie est précieuse on se doit d'arrêter tout ce qui la détruit et pas seulement quand cela concerne les femmes. Refuser l'avortement est une question qui entraîne des prises de conscience et l'admettre c'est aussi faire face à des questions qui sont aussi sérieuses et qui méritent d'être posées. L'humanité a à répondre présentement d'actes très graves dans le passé. Pendant des siècles, tout ce qui concernait les enfants non désirés et les grossesses accidentelles se réglait sous le sceau du secret. Cela fut une aberration morale et humaine car les enfants étant représentés par le signe du Lion et le Lion étant le signe du Soleil, on ne peut pas demander au Soleil de se cacher. Cela commence à se nettoyer, mais le nettoyage sera franc et direct. Si les humains ne sont pas capables de respecter leur propre vie, alors ils attireront sur eux la fin de cette existence.

Tout ce qui concerne les soins des enfants, le travail de la maison a toujours été jusqu'ici gratuit, et souvent comme tout ce qui est gratuit non respecté. Bientôt, cela ne sera plus possible car nous entrons dans une époque où tout aura son prix, même ce qui est sans prix.

Nous entendrons parler de plus en plus de mères porteuses, d'utérus à louer et de toutes sortes de choses qui feront pousser des cris. Mais ne soyons pas hypocrites, car cela a toujours existé sous une forme ou sous une autre. Le paiement matériel était absent mais les circonstances de vie n'étaient pas toujours humanitaires dans plusieurs cas. De plus en plus, les femmes n'accepteront plus d'être trafiquées moralement et financièrement. Elles exigeront des conditions de travail et de vie de famille saines et justes. Si cela ne leur est pas accordé, les résultats de ce refus seront graves. C'est l'humanité entière, sans différence de sexe, qui doit sous peu s'occuper de la vie, sinon la vie nous le fera payer cher.

Nous aurons à comprendre que dans les relations amoureuses beaucoup de choses ont été faussées par le désir des hommes d'avoir à tout prix des enfants. Ce désir est légitime et beau mais il a fait souvent que les hommes voyaient surtout dans leur future femme une mère pour leurs enfants et non pas une compagne égale à eux pour leur existence. C'est souvent avec une autre personne que la mère de leurs enfants qu'ils vivent plusieurs choses évolutives. Les femmes voudront être aimées pour elles-mêmes et non pas avant tout pour leur capacité de reproduction. Souvent après avoir fini d'élever leurs enfants, plusieurs femmes se trouvent démunies socialement et matériellement, car le travail d'entretien de la maison et l'éducation des enfants est un travail non rémunéré. Cela ne pourra pas durer longtemps ainsi. Tout cela se discutera au grand jour et obtiendra gain de cause.

Maintenant, plusieurs enfants sont élevés à part égale par leurs deux parents. Cela crée un équilibre affectif extraordinaire car cela ne donne pas de valeurs exagérées à un sexe plus qu'à un autre et cela fait que l'enfant se donne beaucoup de valeurs et en donne aux autres très facilement. Nous accéderons de plus en plus à cette façon de vivre et cela apportera une forme de paix sur notre planète, car un homme qui a pris soin de ses enfants ne désirera plus par aucune guerre tuer ou blesser les enfants de qui que ce soit. Cette conscience passe par des actes concrets d'amour et de dévouement et non pas par des idées abstraites.

Les jeunes surdoués et sous-doués

Les enfants surdoués

Etre un enfant surdoué ne constitue pas nécessairement un avantage dans le monde où nous vivons, car les comportements y sont trop stéréotypés et l'uniformisation prédomine. Cependant, être un enfant surdoué est toujours la marque d'un aspect bénéfique de la planète Mercure, qui est la planète de l'intelligence. Il y a plusieurs types d'enfant surdoué. Il y a l'enfant surdoué au niveau de ses capacités personnelles de rayonnement: l'enfant solaire; au niveau de ses émotions et de son pouvoir de vibrer et de faire vibrer les autres d'une façon aiguë: l'enfant lunaire; intelligence, raison funeste de l'esprit surdoué d'une façon mercurienne; intelligence artistique, don du charme et de la séduction: l'enfant vénusien; intelligence qui s'implique et qui séduit par la force et qui a toujours raison de tout en apparence: intelligence martienne; intelligence qui règne, intelligence de l'enfant qui sait trouver les mots, s'assurer une forme de grandeur face aux autres même s'ils sont ses amis: intelligence jupitérienne; intelligence qui scrute tout, qui analyse tout, qui voit tout et qui regarde les choses dans leur essence, dans leur véritable dimension: intelligence saturnienne; intelligence de celui qui survolte tout, qui est capable d'aller au-delà de tout: intelligence uranienne; intelligence de celui qui sent tout, pressent tout: intelligence neptunienne; intelligence de celui qui a raison sur tout et qui, d'un seul coup d'oeil, voit l'ensemble: intelligence plutonienne. Avec toutes ces formes d'intelligence, vous voyez dans laquelle se place un enfant s'il est surdoué. Cependant, les enfants surdoués font souvent des adultes misérables parce qu'ils n'ont pas trouvé le style d'éducation qui leur convenait ou parce qu'on leur a tout permis; devenus adultes, ils ne comprennent pas les jeux de la vie, jeux dans lesquels il faut donner pour gagner. Les enfants surdoués ont quelque chose de très particulier à vivre sur la planète dans les années à venir, car des écoles tout à fait spéciales seront créées pour eux et on assistera à une démystification de leur personnalité en ce sens que l'on comprendra que ce n'est pas parce qu'un enfant est surdoué intellectuellement qu'il faut nécessairement tout lui permettre. Ils pourront s'insérer beaucoup plus facilement dans la société. L'isolement dans lequel ils ont toujours vécu disparaîtra et beaucoup d'enfants surdoués créeront pour eux-mêmes une forme d'éducation sélective. Ils feront leurs propres émissions de télévision et de radio et leurs propres journaux. Il y aura pour ces enfants des ateliers de recherche internationaux absolument extraordinaires et des choses tout à fait fantastiques seront réalisées à l'échelle du globe. La découverte de certains talents se fera d'une façon scientifique et astrologique et certains enfants qui auparavant auraient été perdus parce qu'inadaptés seront à ce moment heureux dans une sphère qui leur sera particulière sans être destructrice.

Les enfants sous-doués

Les enfants sous-doués ne sont pas des enfants qu'il faut rejeter. Un enfant peut être sous-doué intellectuellement sans pour autant être débile affectivement. Souvent, dans mon travail d'astrologue, j'ai vu des êtres super-intelligents mais, malheureusement, totalement déficients sur le plan émotif et qui, par conséquent, faisaient toujours souffrir leur entourage. Etre sous-doué se rapporte encore à la planète Mercure, mais cette fois-ci avec de très mauvais aspects. Cependant, il est possible que les problèmes émotifs fassent croire parfois que l'enfant est sous-doué alors qu'il ne l'est pas. Un milieu social inadéquat dû à de mauvais aspects de Jupiter peut faire en sorte qu'un enfant ne semble pas débrouillard, alors qu'une fois laissé à lui-même, il se débrouille très bien. Il est très difficile de se prononcer, à moins qu'il n'y ait au départ des problèmes congénitaux. Il faut comprendre qu'on peut être sous-doué pour certaines choses mais très doué pour d'autres. A cause des aspects de la planète Uranus, on en viendra à respecter de plus en plus ceux que l'on appelle sous-doués. Il y a plusieurs types d'enfant sous-doué. L'enfant sous-doué qui a peur, qui n'est pas capable de demander quoi que ce soit pour lui-même, qui se sent toujours soumis aux autres, est un sous-doué à problèmes solaires. Un enfant sous-doué qui est toujours sous la jupe de sa mère, qui a peur de la vie, qui a des problèmes de nutrition très graves, est un sous-doué à problèmes lunaires. Un enfant sous-doué qui bégaie, qui a des problèmes d'élocution, des problèmes d'adaptation au monde de l'adolescence, est un sous-doué à problèmes mercuriens. Un enfant sous-doué qui a des problèmes affectifs, qui a peur des sentiments, qui ne se lie pas aux autres ou qui pleure souvent, est un sous-doué à problèmes vénusiens. Un enfant sous-doué qui a peur des autres, qui a toujours peur d'être battu physiquement ou moralement, ou alors qui est trop batailleur, est un sous-doué à problèmes martiens. Un enfant sous-doué qui se sent toujours le dernier, qui n'est pas capable de demander sa place, qui est gourmand, qui abuse de tout, qui ne demande rien, est un sous-doué à problèmes jupitériens. Un enfant sous-doué qui aime trop la solitude, qui a peur des autres, qui ne va jamais au-devant de rien, qui souvent n'a pas faim, est un sous-doué à problèmes saturniens. Un enfant sous-doué hypernerveux, qui gesticule, qui parle toujours ou qui ne parle pas du tout, qui, sans arrêt, est dans des vibrations trop aiguës pour son entourage, est un sous-doué à problèmes uraniens; mais pour ces enfants, beaucoup d'espoir est permis. Un enfant sous-doué qui vit dans le monde du rêve, qui ne veut jamais rien savoir de la réalité, est un sous-doué à problèmes neptuniens. Un enfant sous-doué qui détruit tout, qui casse tout, ou qui vous interroge sans cesse du regard, est un sous-doué à problèmes plutoniens. Cependant, beaucoup d'enfants sous-doués seront, avec les recherches chimiques, médicales et psychiques des années à venir, des êtres tout à fait adaptables, capables de réaliser une vie. On accomplira beaucoup socialement pour protéger les droits des enfants défavorisés mentalement ou intellectuellement. Ces individus ne seront jamais employés sans être bien payés, où que ce soit. Ils auront l'opportunité d'un épanouissement dans la mesure de leurs possibilités et ils auront leur place dans la société future. Ce qu'il faut faire pour les enfants sous-doués

A *problèmes solaires:* leur inculquer le sens de la dignité.

A *problèmes lunaires:* ne pas les surprotéger.

A *problèmes mercuriens:* les faire sortir de leur milieu, leur montrer autre chose.

A *problèmes vénusiens:* leur donner de l'amour.

A *problèmes martiens:* les calmer ou du moins leur faire pratiquer un sport.

A *problèmes jupitériens:* les valoriser par quelque chose de visible.

A *problèmes saturniens:* les aider à sortir d'eux-mêmes.

A *problèmes uraniens:* les calmer.

A *problèmes neptuniens:* cela est très complexe parce que presque inabordable; il faut essayer de leur faire sentir qu'ils ont quelque chose de concret à faire sur la terre.

A *problèmes plutoniens:* leur donner une éducation sexuelle saine et leur proposer quelque chose de grand pour eux à faire, dans la mesure de leurs capacités.

Éveil de l'amour

L'enfant et l'adolescent vivent chacun d'une façon particulière à un moment inattendu l'éveil de l'amour. Cet éveil peut se produire d'une façon très douce ou d'une façon brusque et même brutale. Cependant, pour chaque être humain, avant la maturité, ce sentiment aura pris place dans sa vie. Voici de quelle façon, selon chaque signe du zodiaque et chaque dominante planétaire, cet éveil peut se faire:

Bélier
L'éveil de l'amour se produit chez lui sans le moindre heurt car il aime spontanément tout ce qui l'entoure. Donc, il n'a pas de problème apparent, sauf qu'il veut trop dominer son entourage.

Taureau
L'éveil de l'amour, c'est l'éveil de la possession. Cela se fait d'une façon très douce. Etre aimé, c'est être choyé et c'est partager.

Gémeaux
L'éveil de l'amour se fait par l'éveil de l'intelligence. Il aime ce qui l'excite mentalement, il aime ce qui lui apprend quelque chose. Il aime beaucoup ses frères, ses soeurs, ses voisins. L'amour, pour lui, c'est le partage.

Cancer
L'éveil de l'amour, c'est le rapport intense qu'il a avec sa mère et qu'il veut élargir à l'univers. Il se voit déjà dans un foyer futur.

Lion
L'éveil de l'amour, c'est l'amour dans tout ce qu'il a de plus grand et de plus beau. C'est l'éveil de son propre rayonnement.

Vierge
L'éveil de l'amour, c'est la découverte de l'imitation et c'est aussi très discret. L'enfant Vierge ne parle pas beaucoup de ses sentiments.

Balance
L'éveil de l'amour est la chose la plus naturelle: il ne vit que pour l'amour, il ne vit que pour aimer et être aimé. Il a hâte d'aimer.

Scorpion
L'éveil de l'amour se fait toujours d'une façon aiguë, passionnelle, irrémédiable et totale. C'est l'hypersensibilité et l'hyperintériorité.

Sagittaire
L'éveil de l'amour domine l'univers. Il se dit qu'il a le coeur assez grand pour cela et que l'univers l'aimera. Il ne se complique pas la vie.

Capricorne
L'éveil de l'amour, c'est dans le silence, dans ce qui est feutré, dans ce qui est totalement intérieur. C'est un regard froid dans un désir profond d'association. Mais c'est une forme de timidité.

Verseau

L'éveil de l'amour, c'est la fraternité, c'est le compagnon, la compagne, c'est l'universalisme.

Poissons

L'éveil de l'amour, c'est l'éveil à la souffrance et à la compréhension de la souffrance chez les autres; c'est l'éveil à la compassion.

Avenir des enfants et de la maternité

Tout ce qui se rapportera aux enfants, à partir des années 80 et surtout dans les années 90, occupera une grande place dans les préoccupations mondiales parce qu'ils seront rares, du moins ceux de race blanche, et aussi parce qu'ils auront leur mot à dire. Tout ce qui se rapporte à la maternité sera repensé et occupera également une place de choix dans les préoccupations gouvernementales. Après l'an 2000, aucune mère de famille, mariée ou non, et même venant d'une famille monoparentale, n'aura de difficultés sur la terre aux niveaux matériel et social. Les postes de radio et de télévision seront à la disposition des gens qui auront besoin d'aide et des spécialistes consacreront beaucoup de temps et d'énergie à étudier et à résoudre les problèmes spécifiques des femmes et des enfants. On verra naître une grande organisation mondiale dont le but sera de protéger les femmes et les enfants des injustices dont ils ont toujours été victimes. Il y aura enfin une véritable égalité entre les sexes et entre les groupes d'âges. La conception, la grossesse, la naissance, les soins prénataux et postnataux seront vus sous un autre angle. On fera des découvertes incroyables dans le domaine génétique et bien des énigmes seront résolues. Au niveau de la vie prénatale, la science dévoilera de grands secrets et la femme saura exactement de semaine en semaine à quel stade de développement se trouve le foetus et ce qu'il faut éviter pour ne pas lui nuire. Dans les soins physiques et psychiques qui seront donnés aux enfants, une plus grande part sera accordée au respect et à l'amour. Des volontaires pourront bercer les enfants dans les hôpitaux et leur apporter ainsi une sécurité affective qui aidera énormément les soins médicaux. Les anomalies physiques seront décelées avant la naissance et, dès la naissance, on pourra remédier à des choses qui, autrefois, étaient incurables. Des enfants de chaque race parleront au nom des enfants de la terre entière dans des réunions internationales. La crise de l'adolescence sera vue d'une façon tout à fait différente et les adolescents pourront commencer très jeunes à exercer une action à portée sociale et humanitaire. Ils seront de plus en plus libres et conscients de la valeur réelle de leur vie. Au niveau de l'alimentation des enfants et des adolescents, on fera des découvertes extraordinaires qui élimineront beaucoup de problèmes. De plus, la criminalité, la souffrance et certaines formes d'angoisse disparaîtront totalement, principalement par des découvertes scientifiques dont l'application se fera dans le jeune âge. Dans le domaine de la contraception, une méthode révolutionnaire, ne comportant aucun des inconvénients des méthodes actuelles, fera son apparition dans les années 1990. Enfin, notre conception de la sexualité sera profondément modifiée et une morale nouvelle s'instaurera. Rien ne sera plus comme avant et ce sera mieux ainsi.

Les enfants sans famille et
ceux de famille monoparentale

Les enfants sans famille auront une destinée très différente de celle qu'ils ont présentement. Tout sera reconsidéré à leur sujet. Il y aura de plus en plus d'adoptions à caractère international et ces adoptions se feront selon des modalités tout à fait nouvelles. Les enfants sans famille auront même la possibilité de faire des stages dans diverses formes de société et divers pays. De plus, il y aura des lois internationales portant sur la sécurité des enfants qui perdent leur famille dans des accidents, des guerres, des catastrophes naturelles ou des épidémies. Beaucoup d'enfants de famille monoparentale connaîtront des expériences enrichissantes sur le plan humain et social. La famille telle qu'on la connaît s'élargira et on dédramatisera beaucoup de situations. Une forme d'éducation nouvelle apparaîtra et la charité fera place à la justice. Les droits des enfants sans famille et des enfants de famille monoparentale seront parfaitement protégés par la loi et il y aura des tribunaux spéciaux pour les adultes s'occupant de ces enfants. L'enfant de l'an 2000 sera l'enfant de la terre entière…

Les enfants dont les parents sont
de nationalités différentes

Le nombre de ces enfants augmentera de plus en plus. Ils sont l'humanité de demain. Ces enfants auront une façon de penser totalement différente de celle des autres enfants. Ils seront les précurseurs d'une époque nouvelle. Ils seront les premiers à désirer véritablement l'abolition d'un système économique qui favorise les uns au détriment des autres. Ces enfants seront le signe annonciateur d'une humanité sans frontière. Ils révolutionneront, entre autres, l'apprentissage des langues et des mathématiques. Changement de regard dans la façon de concevoir l'intelligence et la hiérarchie sociale qui sera abolie.

La planète manquante...

Tout est harmonie dans notre système solaire et dans le cosmos, et un *ordre mathématique* implacable régit tout. En tant qu'astrologue, je concède que cet ordre est d'une perfection inouïe, mais en tant que femme, je pense qu'une planète manque. Il s'agit d'une planète qui se rapporterait aux femmes et aux enfants. La Lune domine la maternité, mais cela ne suffit pas. Sur terre, tout ce qui est adulte et mâle a le premier et le dernier mots en tout. On fait la guerre, sans se soucier des conséquences sur les femmes et les enfants. Beaucoup de femmes et d'enfants meurent à la guerre, mais on ne leur érigera jamais un monument. On décide d'une famine, d'une guerre, de n'importe quoi, toujours au nom d'une idéologie ou d'une religion, sans accorder la moindre valeur à la vie humaine. Les femmes n'ont qu'à peupler, et si elles osent élever la voix, on fait semblant de les écouter, on les traite de sentimentales et on les renvoie à leurs chaudrons. Et les enfants n'ont jamais leur mot à dire non plus. Parce que leurs propos sont naïfs et insignifiants; parce que les décisions importantes doivent toujours être prises par la même catégorie de personnes. Les femmes et les enfants sont exclus de tout, de la même façon que sont exclus les minorités sexuelles et les artistes. Mais à travers tout cela, il y a une planète qui ne s'est jamais manifestée. Cette planète serait celle de la conscience des enfants de la terre entière. Cette planète n'a pas de nom car elle n'existe pas. Cette planète ferait qu'avant qu'une guerre soit déclarée, les enfants de la terre entière auraient leur mot à dire et, s'ils ne le disaient pas, les adultes d'un pays, avant de déclarer la guerre à d'autres pays, mettraient les femmes et les enfants de ce pays en lieu sûr. Les femmes et les enfants n'ont pas à payer pour la folie des hommes. Si on veut faire la guerre entre hommes, qu'on la fasse, mais qu'on épargne ceux qui ne feraient jamais la guerre s'ils avaient le pouvoir de décision. Cette planète des enfants, elle montrerait exactement les injustices, elle ferait parler ceux qui viennent d'entrer dans la vie et celles qui les ont portés dans leur chair, et elle ferait en sorte que la vie soit respectée. Cette planète manquante serait une planète très gentille. Elle ne causerait jamais de cataclysme, elle apporterait la joie et elle apporterait aussi la paix. Cette planète s'occuperait exclusivement des mères et des enfants. Elle ferait qu'aucune femme ne se trouverait jamais dans une situation complexe avec des enfants, qu'aucune femme n'aurait jamais à briser sa vie pour élever des enfants. Elle ferait qu'un ordre social nouveau verrait le jour sur la terre, apportant la paix et un vrai sens des valeurs. Cette planète, en tant qu'astrologue, je la déclare manquante mais je m'efforce de la découvrir afin de pouvoir un jour vous en montrer le parcours. J'espère que ce jour viendra très vite, car c'est une question de survie de l'espèce.
Louise Haley

Ce texte a été interprété par Catherine Sauvage en France et dans plusieurs autres pays européens.

Rêve planétaire

J'ai fait un rêve dans lequel je voyageais d'une planète à l'autre pour voir comment chaque planète avait résolu le problème des inégalités sociales et comment sur chaque planète on avait trouvé le moyen de respecter la vie, et par ce fait même d'accéder à la paix.

Sur le Soleil, c'est très simple tout le monde brille avec tellement d'éclat, que la moindre perturbation entraînerait une perte de lumière. Ils ont la paix parce que tout ce qui se fait est vu au grand jour. Ils ont la paix aussi parce que chaque enfant est vu sous l'angle de la royauté. Les adultes et les enfants vivent dans une royauté si éclatante que tout est toujours exagéré, tout est grandiose et ainsi s'exprimant à l'infini la royauté du Soleil transparaît dans toutes les vies.

Sur la Lune étant donné qu'elle passe par plusieurs stages au cours d'un même mois, les gens s'adonnent à toutes les fantaisies et se défoulent au fur et à mesure de leurs idées négatives. Sur la Lune, la royauté est celle du changement. Ainsi, aucune rancune n'est possible et les enfants voient le changement et la fantaisie comme des choses inhérentes à l'existence. La paix qui y règne est une paix multipliée par la fête et la créativité.

Sur Mercure, les gens se racontent tout et leur royauté est celle du langage. Les enfants ont mille façons de développer leur intelligence et on parle toutes les langues. Sur Mercure, il y a des bureaux de poste à l'infini et ils envoient et reçoivent des lettres dans toutes les galaxies. Ils ont obtenu la paix parce qu'ils expriment tout par un langage.

Sur Vénus, on chante sans arrêt. Les enfants sont tellement beaux que personne ne pense à leur nuire de quelque façon qu'ils puissent se nuire à eux-mêmes. La planète Vénus envoie des ondes musicales à l'univers et ainsi, elle établit un langage de paix.

Sur la planète Mars, il y a un musée de toutes les armes de guerre possible, mais aussi il y a aussi une nomenclature de tous les actes de courage que les gens ont accomplis pour faire avancer l'idée de la paix. Les enfants sur la planète Mars sont tellement actifs, qu'ils oublient parfois de dormir et ainsi la planète tremble de bonheur dans l'espace.

Sur la planète Jupiter, tout est royalement généreux. C'est la fête continuelle et pour empêcher les problèmes de jalousie matérielle, les habitants de cette planète passent leur vie à imprimer des dollars qu'ils jettent joyeusement dans la galaxie entière. Les enfants de la planète Jupiter rayonnent de santé et veulent aller partout apporter du bonheur de vivre. Ils sont royaux dans leurs désirs de rendre tout le monde chanceux et heureux.

Sur la planète Saturne, on tient les archives de tout ce qui dans le passé a provoqué des mésententes entre les habitants des différentes planètes. Mésententes sur chaque planète et aussi des planètes entre elles. Sur cette planète, les enfants sont sérieux et leur royauté est dans leur sagesse intérieure. Ils ont une grande connaissance de l'humain et ainsi ils peuvent très jeunes accéder à une grande conscience.

Sur la planète Uranus, c'est l'intempérie et l'orage continuels. On reçoit des coups de téléphone et on envoie des télégrammes dans la galaxie entière. Parfois, les enfants de cette planète découvrent par hasard des planètes nouvelles dans des galaxies lointaines. Tout s'apprend avec la vitesse de l'intelligence accélérée et la royauté des enfants de cette planète consiste à être indépendants face à toutes valeurs qui enlèvent de la noblesse à qui que ce soit. Leur garanti de paix est le respect inné de tous les habitants de leur planète.

Sur la planète Neptune, le brouillard règne. Les gens ont des yeux si beaux qu'ils voient parfois dans l'invisible qu'ils en oublient parfois le côté pratique des choses. Sur cette planète on garde précieusement les souvenirs des souffrances passées dûes aux guerres, souffrances de l'âme et du coeur. Les enfants de cette planète communiquent par télépathie entre eux et entre les autres galaxies. Ils expriment tout par la voie de l'inspiration et leurs regards est à lui seul un royaume. La royauté des enfants de la planète Neptune est une royauté de silence et de compassion. Les connaître c'est comprendre qu'ils ont acquis la paix, en sachant que la guerre est une illusion. Sur la planète Neptune on fait de l'aquarelle et la pluie inonde à l'infini des tableaux géants qui se reflètent dans la galaxie entière.

Sur la planète Pluton, on tient le registre funéraire de tous les morts de cette planète et des autres planètes. Les enfants de cette planète savent tous les secrets concernant la mort et apprennent à l'univers entier de ne pas avoir peur face à la mort. La royauté de ces enfants, vient du fait qu'ils se savent éternels et cela leur donne une confiance extraordinaire en l'existence. La planète Pluton a acquis son droit à la paix en comprenant qu'en détruisant son ennemi on se détruit soi-même. Cependant, les gens de la planète Pluton savent que toute vengeance humaine est inutile, puisque la justice occulte existe. Pour obtenir la paix et le bonheur des enfants de toutes les planètes, y compris la planète terre, une nouvelle planète arrivera. Si elle était manquante jusqu'ici, c'est que notre conscience n'était pas prête à la recevoir. Cette planète serait un condensé de ce qu'il y a de meilleur dans chaque planète existante déjà et elle apporterait par elle-même aussi une conscience nouvelle de tout ce qui se vit face à la vie. Cette planète elle s'avance et la comète de Halley peut-être par son passage en a-t-elle accéléré l'arrivée. C'est une planète qui presse à venir et sa venue bouleversera tout. Quand je la verrai je vous en parlerai et l'univers entier sera prêt à son influence bénéfique.

Louise Haley

Table des matières